ディープフェイク

ニセ情報の拡散者たち

ニーナ・シック　片山美佳子 訳

日経ナショナル ジオグラフィック

DEEP FAKES

and the Infocalypse

装画
Q-TA

装丁
田中久子

ディープフェイク

ニセ情報の拡散者たち

目次

はじめに　世界はニセ情報であふれている　6
第1章　ディープフェイクはポルノから始まった　25
第2章　ロシアが見せる匠の技　55
第3章　米国が占う西側諸国の未来　91
第4章　翻弄される発展途上国の市民　127

第5章　犯罪の武器になる野放しのディープフェイク　149

第6章　世界を震撼させる新型コロナウイルス　183

第7章　まだ、希望はある　207

関係機関・団体　228

後注　232

謝辞　247

本書は英国の出版社 Octopus Publishing Group の書籍
「Deep Fakes and the Infocalypse」を翻訳したものです。
内容については原著者の見解に基づいています。
登場する人物の肩書きなどは原書執筆当時のものです。

はじめに
世界はニセ情報であふれている

ユーチューブに再生回数が750万回に迫るオバマ大統領の話題の動画がある。「オバマ大統領、まさかの発言（You Won't Believe What Obama Says In This Video!）」というタイトルが、視聴者の好奇心をそそる。まっすぐにカメラを見つめるオバマ大統領。濃褐色のマホガニーの椅子に腰かけており、大統領執務室にいるようだ。白髪交じりの頭が年齢を物語っているが、自信に満ち、余裕が漂う。右肩の後方には星条旗が見えている。プレスのきいたワイシャツに青いネクタイという、いつも通りのきちんとした身なりで、左襟には星条旗のピンを着けている。動画が再生されると話し始める。「誰が何をいつ話したかを、敵が自在にねつ造できる時代になりました」。そして手振りを交えながら説明する。

「あり得ないような発言を、誰かがしたことにできるのです。例えば、トランプ大統領は本当に大バカ者だとオバマが言ったというようなこともでっち上げられます」。目にかすかな笑みとやわらかい光をたたえ、さらに続ける。「おわかりだと思いますが、私がそんな発言をするはずがありません。少なくとも公の場ではね」

実際、この動画で話しているのは、オバマ本人ではない。これはＡＩ（人工知能）を用いて作ったディープフェイクと呼ばれるニセ動画だ。未来世界へようこそ。ＡＩが進化を遂げ、人々が言っていないことを言ったかのように、やっていないことをやったかのように、仕立て上げることができる時代に突入したのだ。誰もが標的になり、誰もが万事を否定できる。誤情報とニセ情報が氾濫し、情報のエコシステム（情報とそれを取り巻く環境）の破壊が進む今、進化を続けるＡＩとディープフェイクが新たな脅威として浮上してきた。

ディープフェイクとは？

ディープフェイクは、ＡＩを使用して改ざんもしくは生成されたメディア（写真、音声、動画など）のことだ。技術の進歩により、フォトショップなどの画像編集ソフトウエアやインスタグラムのフィルターを使うことで、誰でも簡単にメディアを加工することができるようになった。そしてＡＩのさらなる進化によって、最近ではコンピューターを使って合成メディアを一から生成することも可能になった。私たちがコンテンツを生み出し、コミュニケーションを取り、物事を受け止める方法を大きく変える出来事だ。この技術はまだ初期段階だが、数年もすれば、誰でもスマートフォン一つでハリウッドレベルの特殊効果映像をほぼ無料で簡単に作れるようになるだろう。

そうなれば、これまでよりはるかに迫力のある映画やゲームの製作など、多くのことに活用される一方、武器としても使われるだろう。悪意をもってニセ情報として使われたり、誤情報として使われたりした合成メディアを「ディープフェイク」と呼ぶことにする。これは私なりの定義だ。極めて新しい分野なので、まだ明確に分類されているわけではないが、合成メディアは悪用されるばかりではなく、有益なことにも使用される。そこで、誤情報やニセ情報を流す目的で作られた合成メディアだけを区別して、ディープフェイクと呼ぶことにした。

ユーチューブのオバマ氏の動画は、ハリウッドの映画監督ジョーダン・ピールと米国の企業バズフィードが製作した。ニセ動画という形で合成メディアが悪用される可能性があることを警告するのが目的だ。動画で「オバマ」は、「我々は将来に向けて、インターネットの情報をうのみにしないよう、もっと気をつけていかなければならない。当たり前のことを言っているようだが、情報の時代をどう歩んでいくかは、まともな社会を維持できるか、混乱を極めたディストピアに陥ってしまうかを左右するのだ」と結んでいる。[1]

残念ながら、私たちはすでに「混乱を極めたディストピア」の中にいる。この情報の時代に、情報のエコシステムが汚染され、危険な状態になっているのだ。歴史上前例のないレベルで、誤情報とニセ情報がもたらす危機に直面している。この問題を分析し、論じるため、私たちが置かれている「混乱を極めた」情報の環境を端的に表す言葉が必要だった。そしてたどり着いたのが、インフォカリプス（情報の終焉《しゅうえん》）だ。本書では、大多数の人間を取り巻く、危険で信用に値しない情報の世界をインフォカリプスと定義する。

インフォカリプス（infocalypse）は２０１６年に米国の科学技術者アビブ・オバディアが作った、情報（information）と世界の終焉（apocalypse）を組み合わせた言葉だ。オバディアは、社会に有害な情報がまん延していると警告し、この社会がもはや対処できない危機の入り口に差し掛かっているのではないかと問いかけている。オバディアは多くの意見を集めるため、この言葉の定義を一つに絞っていない。ただ、不変の「物」や一時的な出来事ではなく、物事が絶え間なく進化を続けている状態であり、日に日に多くの人々がその中に取り込まれていくのだと説明した。インフォカリプスがこれまで以上に進行すると、国際関係から個人の暮らしまで、あらゆる事柄に悪影響を及ぼす、極めて深刻な事態に発展していくのではないかと私は懸念している。

インフォカリプスがいつから始まったのか、どこまで広がるのか、正確なことはわからない。ただ、今世紀初めの急激な技術の進歩が一因であることは確かだ。今世紀になるまで、情報の環境はもっとゆっくりとしたペースで進化していたため、社会が技術的な進歩に適応する時間が十分にあった。例えば印刷技術の発明から写真の登場までは、4世紀もかかっている。だがここ30年で、インターネット、スマートフォン、ソーシャルメディアが普及し、私たちを取り巻く情報の環境は目まぐるしい変化を遂げた。2023年までには、世界のおよそ3分の2にあたる53億人もの人々が、この急速に進化する環境の中に取り込まれるだろう。残りの3分の1が後に続くのは、時間の問題だ。この情報のエコシステムの中で、動画は何よりも強力な意思伝達の手段として出現した。

変化が速すぎたため、情報のエコシステムは搾取《さくしゅ》の温床となった。国家から個人のインフルエンサーに至るまで、あらゆる悪質な発信者が、この新しい環境を利用してよこしまな目的を達成しようと、人々を欺くためのニセ情報を拡散し始めたのだ。情報の環境が急速に進化したために生じたもう一つの弊害は、誤情報の拡散だ。欺くことを意図して発信されるニセ情報と違い、誤情報は単に間違っているだけで、悪意をもって発信されているわけではない。誤情報やニセ情報が出回るのは、今に始まったことではないが、これほど大規模にまん延するのは初めてだ。また、以前のものと比べて、人々がつい信じてしまうカラクリがある。その一つは、不適切な文脈で使われたり、加工されたりしたチープフェイクと呼ばれる動画や写真の出現だ。さらに心配なことに、今はまだＡＩ革命のほんの入り口に差し掛かったばかりで、情報のエコシステムの進化はこれからも続いていく。コンピューターがもっと緻密な合成メディアを作り出すようになれば、人々が交流したり、世界の出来事や情報を読み取ったりする手段にも変化が生じるだろう。ＡＩ革命が進むにつれて、ますます巧妙化したディープフェイクという形の誤情報やニセ情報が出回るに違いない。

インフォカリプスの状況下では、世界の出来事をどう説明し、どう受け止めるか、人々が意見をすり合わせて冷静な判断をすることができなくなっていく。常に「どちらか一方に付かなければならない」ような気持ちになりやすいのだ。インフォカリプスの状況では、まともな議論の前提となる基本的な事実についての共通の認識さえ、なかなか形成できない。汚染された情報のエコシステムの中で政治的な関心を持つようになる人々が増え続ける中、人種、性差別、人工妊娠中絶、ブレグジット（英国のＥＵ離脱）、トランプ、新型コロナウイルスなど、これまで以上に厄介な問題の議論に勝つことに善意の努力が注ぎ込まれ、社会が分断されるという悪循環に陥っている。インフォカリプスの中では、互いを説得しようとしても理解は得られず、かえって分断を深めることになりかねない。結局、深刻化していく社会の分断を解決するには、情報のエコシステムが破壊されているという構造的な問題の対処に目を向け、注力していかなければならないのだ。私がこれほどディープフェイクやインフォカリプスに興味を持つようになったのはなぜか。ここ10年、政治の世界にかかわる仕事をしていて、必ず浮上してくる問題だったからだ。

インフォカリプスの始まり

2014年、ウエストミンスターにあるEU（欧州連合）の政策シンクタンクで働いていた私は、ロシアによるクリミア併合と、起きたばかりのウクライナ東部への侵攻に関するEUの対応を分析していた。国際ニュースを伝える番組から次々出演依頼が舞い込み、大忙しだった。[2] EUがどのような立場をとるか苦慮する中、ロシア政府には確固たる戦略があることが明らかになる。ウクライナを侵略したことを真っ向から否定し、西側の政治家やコメンテーターがロシアに対して不当な中傷合戦を展開していると主張したのだ。

ロシア政府は、親ロシア分離独立派とウクライナ政府の間で内戦が勃発したのだと説明した。ロシア側のコメンテーターと口論になったときのことを、私ははっきり覚えている。その人物は、かつてウラジーミル・プーチン大統領の前任者ボリス・エリツィンの顧問をしていた老紳士だった。大衆に人気の高いテレビ番組の収録をするはずだったが、対話が進むにつれ、惨憺《さんたん》たる状況になった。基本的な事実の認識さえ一致せず、実りある議論をするどころではなくなったのだ。私がロシアの侵攻に対するEUの対応について説明しようとすると、彼はロシアが戦争をしていたことすら否定した。事実すら共有できずに、まともな対談が成り立つはずがない。

数カ月間、私はクリミア危機に関する仕事にかかりきりだった。やがてこの問題は、現実とは思えない悲惨な転換点を迎える。東ウクライナの分離独立派が、ウクライナの軍用機と誤認して民間機を撃墜したのだ。マレーシア航空17便に搭乗していた283人の乗客と15人の乗組員全員の命が奪われた。私はロンドン各地のニューススタジオで西側の対応について解説していたが、報告書に添付された映像が脳裏から離れなかった。ウクライナ東部の野原に散らばる、機体の残骸だ。

その後の調査で、マレーシア航空17便の撃墜にロシア軍が関与していたことが明らかになった。ミサイル発射装置が国境を越えてロシアからウクライナに運ばれ、持ち帰られた経路も突き止められた。[3] だがロシア政府は、見え透いた嘘をついて、現在まで関与を否定し続けている。2017年、英国下院の情報安全保障委員会は次のように結論づけた。

ロシアは大規模な情報戦を行っている。（中略）手始めに、マレーシア航空17便の撃墜に関与していないと世界にアピールするため、さまざまな手段を駆使して、徹底した宣伝活動を行った（中身はもちろん真っ赤な嘘だ。ロシア軍がミサイル発射装置を提供し、後に回収したことは疑う余地がない）。[4]

この発表で特に衝撃的だったのは、ロシア政府がソーシャルメディアをはじめとする新しいコミュニケーションツールをフル活用して、独自の筋書きを拡散したことだ。ロシア政府が出資し、国際放送を提供するテレビ局ロシア・トゥデイ（RT）は、ユーチューブで無料の番組を配信している。当時はマレーシア航空17便とウクライナ紛争について、ロシア政府に都合の良い内容を拡散していた。ロシア・トゥデイの編集長マルガリータ・シモニャンは、2014年のインタビューで、ロシア・トゥデイは「西側の世界全体」を相手どって「情報戦を仕掛け」、ロシアのために「戦った」と述べている。[5] 彼女の読み通り、ユーチューブを利用する作戦は大成功を収めた。ユーチューブの視聴時間は、2017年には1日10億時間に達している。これは、一人の人間がノンストップで10万年見続けるのに相当する。[6] 大規模で影響力のあるこの動画投稿サイトで、ロシア・トゥデイは上位のニュースチャンネルにのし上がった。英語、スペイン語、フランス語、ドイツ語、アラビア語、ロシア語の番組があり、再生回数は数十億回を誇る。むろん、祖国を捨てたロシア人に向けて配信しているわけではない。

ロシア政府が利用しているソーシャルメディアはユーチューブだけではない。２０１３年には諜報機関の一部門として、インターネット・リサーチ・エージェンシー（ＩＲＡ）を立ち上げている。ソーシャルメディアを利用して、公開されている他国の人々のグループに潜入し、ロシア政府の方針通りにメンバーを洗脳するのが任務だ。ＩＲＡの最初の標的はウクライナだったが、やがて西側諸国に矛先を転じた。２０１６年の米国大統領選挙を標的にしたことはよく知られている。そして、実はそれ以前にヨーロッパを標的にしていたことを、私は仕事を通じて目の当たりにしていた。

移民危機を誘発

ヨーロッパでロシアがニセ情報を用いた戦略を展開していたことはあまり知られていな

いが、2015年から2016年にかけて起きた移民危機にはロシアの思惑が絡んでいた。移民危機を引き起こし、それを利用してヨーロッパに不利益を与えようとしたのだ。その手段としてまず武力を行使する。2015年、アサド政権を支援するという名目で、ロシア軍はシリアを繰り返し空爆した。過激派組織「イスラム国」（IS）が空爆の対象だったとロシアは主張したが、国際社会はすぐに、穏健な反体制派の市民に対する無差別な爆撃だと判断した。[7] NATO（北大西洋条約機構）はこれを、「移民を武器にする」ための入念な戦術であり、大量の移民を送り込んで「ヨーロッパの体制に打撃を与え、ヨーロッパの結束を崩そうとした」[8] と表現している。案の定、シリアにおけるロシアの軍事作戦の後、ヨーロッパの国境には大勢の移民が押し寄せた。その中には、避難民、経済移民だけでなくテロリストが紛れ込んでいた。移民の多くは海路で移動し、多くの死者が出た。後に中国の芸術家アイ・ウェイウェイは、溺死した難民を追悼する作品の一部として、19世紀に建てられたベルリンの劇場の柱に1万4000着の蛍光オレンジのライフジャケットを巻きつけている。[9]

ドイツのアンゲラ・メルケル首相が移民寛容政策を取ると、EU諸国は分断を深めることなる。２０１５年の夏には１００万人以上の難民がドイツにたどり着いた。厳しい検査もなく、ピーク時には、毎日1万人以上がドイツに流入した。メルケル首相は事の大きさに気づいて方針を変更し、難民を受け入れる負担をＥＵ全体で分かち合うよう強く求めたが、一部の加盟国が断固として拒否したためＥＵは分裂寸前となった。訴訟が提起され、国境管理が強化されたのだ。新たな難民がドイツに向かうと、結局ドイツも国境を封鎖せざるを得なくなった。

難民問題の影響の全容はまだつかめていないが、次世代のＥＵ（およびドイツ）の姿勢を左右する歴史的な出来事であることは間違いない。この出来事から派生した事件が、すでにヨーロッパの政治に変化をもたらしている。難民の波に紛れて、イスラム過激派のテロリストがヨーロッパに侵入し、主要都市で次々と残虐なテロを起こしたのだ。２０１５年11月にはパリ、２０１６年3月にはブリュッセル、２０１６年12月にはベルリンが標的になった。２０１４年から２０１８年の間にＥＵに潜入したことがわかっている１０４人のイスラム過激派のテロリストのうち、28人がテロを実行、１７０人の死者と８７８人の負傷者を出した。テロリストの多くは、難民保護施設などで国際的な保護を受け、ヨーロッパの国々に「平均11カ月間滞在した後にテロを実行あるいは計画したとして逮捕されている。つまり難民保護施設がテロリストの温床となっていたことが証明された」[10]のだ。

ヨーロッパが難民問題に苦しんでいる最中、ロシア政府は火に油を注ごうと情報操作を続けていた。ヨーロッパの市民の交流の場に諜報員を潜入させ、ロシアが引き起こした難民危機による緊張をさらに高めようとしたのだ。諜報活動の一例に、リサという少女の話がある。13歳のドイツ人の少女リサが、ドイツに入国した難民にレイプされたというニュースが、まずロシアの国営テレビで放送され、ソーシャルメディアで拡散された。ニュースは瞬く間に広まり、ついにベルリンのドイツ連邦首相府の前で、政府が事件を隠蔽しているという抗議活動が起きた。[11]実は、リサという少女の事件は完全なでっち上げだった。[12]

情報の世界はあっという間に質が落ちた。誤情報とニセ情報であふれている。現実の世界に入り込み、不安をあおるニセ情報は、非常に強力な武器になる。そして不安はさらなる誤情報を生む。どちらも、冷静な判断を失わせ、深刻な社会の分断を招く。ロシアが拡散したニセ情報の恩恵を受けて勢力を伸ばしたヨーロッパの新しいポピュリズムの政党の多くは、ロシア政府とつながりがあると考えられており、代表者たちは堂々とロシア政府への支持を表明している。クリミア併合を承認し、ロシアに対するEUの制裁を解除することにも賛成だ。ハンガリーのフィデス、イタリアの北部同盟（2018年から同盟）、フランスの国民戦線（2018年から国民連合）、オーストリア自由党（2019年にオーストリアの政権を崩壊に追い込んだロシア関連のスキャンダルにかかわっていた）、そしてドイツの極右政党「ドイツのための選択肢」（AfD）などがある。[13]

2017年、この熱を帯びた政治状況の中、私はエマニュエル・マクロンのフランス大統領選への出馬準備に関連する仕事を引き受けていたが、一時、マクロンが国民戦線のマリーヌ・ル・ペンに敗北するのではないかという空気が漂った。投票日の2日前、マクロン陣営が、1年前にクリントンを標的にしたとされるロシアのハッカーから激しい攻撃を受けたのだ。[14]

また、2013年から英国の政治に関連する仕事をしていた私は、こうしたヨーロッパの混乱が、2016年のブレグジットの是非を問う国民投票において、国民の意思決定に大きく影響したのを目の当たりにした。ヨーロッパ大陸の大混乱に乗じて、EUにとどまる方が離脱するよりもリスクが大きいと主張する離脱賛成派が勝利を収めたのだ。移民問題への不安という大衆の心理を利用することで、圧倒的に有利な状況になったのだと思う。こういう角度から見ると、ブレグジット賛成派にとってEUの難民危機は棚ぼただった。離脱すべきという主張に、圧倒的な説得力を与えたのだ。[15]

垂れ込める暗雲

インフォカリプスの進行に伴い、政治はますます不安定になってきた。そんな中、2017年末に初めてディープフェイクを目にした私は、間違いなく次世代の誤情報やニセ情報が恐ろしいものになると感じた。今では、AIを使って動画や音声を生成したり、加工したりできるようになった。この技術は今後ますます利便性や精度が向上し、やがて誰でも使えるようになるはずだ。ある人が実際にはいなかった場所にいたように、していないことをしたように、言っていないことを言ったようにできる力を、誰もが手にする日が来るのだ。この技術が悪用され、すでに腐敗しつつある情報のエコシステムの深刻な脅威となっており、私たちが世界の出来事を理解し、生きていく上でも大きな支障となっている。

2018年、私はNATOの前事務総長アナス・フォー・ラスムセンの顧問となった。当時彼は世界のリーダー（当時米国副大統領のジョー・バイデンを含む）を集め、近づきつつある2020年の米国大統領選を視野に入れて、他国による選挙介入への対抗策について協議していた。検討課題の一つにディープフェイクの問題があった。選挙に関連して用いられるのはもはや時間の問題だったのだ。私はアドバイザーとして、インフォカリプスの中でAIがどう利用されるかを考えるよう念を押した。そして、避けることのできない将来の攻撃に備えるよう強く進言した。

その後、インフォカリプスはさらに深刻化した。次の2020年11月の大統領選挙は、西側の自由民主主義国家だけでなく、世界中の未来を示すものとなるだろう。2018年にラスムセンらに情報のエコシステムの腐敗がもたらす脅威について警告したが、それがいよいよ現実のものとなるのではないかと懸念している。後で述べるが、インフォカリプスの特徴である対立と不信によって、本書（英語版）の制作と同時期に米国で勃発した社会不安が長引いている。

誤情報とニセ情報や、今後重大な問題に発展していく可能性のあるディープフェイクについて私が語り始めてから、この分野は爆発的に拡大した。私は政治の世界を通じて、ディープフェイクと情報のエコシステムの腐敗を目の当たりにしてきたが、その影響がもっと広範囲に及ぶことは明らかだ。本書を通じて、情報のエコシステムが極めて危険な状態にあり、その害が政治の世界の枠をはるかに超えて、私たちの私生活や日々の暮らしにも及ぶということを伝えたい。危機を認識することで、私たちが一丸となって守りを固め、反撃できるようになることを願っている。社会として、インフォカリプスから立ち直る力をもっとつける必要がある。

今、本書で取り上げる事柄を知っておかないと、大変なことになる。

第1章
ディープフェイクはポルノから始まった

図1　ニセモノの顔はどれ？

図1の写真を見て、どれがニセモノの顔だかわかるだろうか。画質の粗い左のモノクロ写真を選んだ人は正しい。だが右の写真を選んでも正解だ。すべてAIを使って作成されたフェイク写真なのだ。

比較的最近まで、写真や動画、音声といったメディアの加工ができるのは、莫大な資金やスタッフを持つ政府やハリウッドの映画会社などに限られていた。だがテクノロジーの進歩によって、メディアの加工が容易になり、誰にでもできるようになった。さらに今、AIを用いた技術により合成（フェイク）のメディアをコンピューターで一から生成することが可能になった。この技術はまだ誕生したばかりだが、メディアを用いて現実の世界を表現する方法を根幹から変える、ＡＩ革命の入り口にすでに差しかかっている。

今のところ、ＡＩによって生み出される合成メディアの進化のスピードに、社会の理解が追いついていない。動画や音声は間違いなく本物だと思いがちだ。しかしそこかしこに合成メディアが存在する以上、目で見たもの、耳で聞いたことが真実とは限らない時代を迎える心構えが必要だ。

写真改ざんの歴史

19世紀の写真の発明によって、人間は初めて人が描く以外の手段で、「現実を切り取る」能力を手にした。それからまもなく、写真は加工できるということに気づく。写真の改ざんの歴史は長い。初期では、１８６０年代の事例がある。エイブラハム・リンカーンが暗殺されたとき、英雄らしく撮れた良い写真が足りなかった。そこで、ある彫刻家がリンカーンの顔写真を、南部の政治家ジョン・Ｃ・カルフーンの版画の顔の上に重ねたのだ。１００年間、誰も気づかず、最近になってようやく合成されたものだということが明らかになった。[1]

写真を改ざんをさせた人物といえば、ヨシフ・スターリンが有名だ。スターリン主義と呼ばれる恐怖政治を敷き、目に見える記録を含め、意のままに歴史を書き換えた。スターリンの命令のもと、職人を総動員して写真が改ざんされたのだ。写真編集ソフトウエアがある現在と違い、巧妙な改ざんには熟練の技が必要だった。例えば、写真のネガを丁寧に切り取って他のネガの上に重ねるといった手法が使われた。細かい手作業によるエッチングで画像を追加したり、ネガを慎重に削って削除したりすることもあった。スターリンの顔のあばたは、初期のエアーブラシを使って念入りに時間をかけて消された。1930年代の大粛清で政敵が排除されると、職人たちは多忙を極めた。スターリンの反対派が殺されたり、グラグ（強制労働収容所）に送られたりすると、写真からも姿が消されたのだ。29ページの図2（上）は、1925年4月の党大会でスターリンが出席者たちと撮った写真だ。この中の6人が後に自殺や射殺、投獄によって抹殺され、存在を消された。1939年に焼き直された同じ写真（下）には、スターリンと3人の親しい友人だけが残されている。

ソ連が終焉《しゅうえん》を迎えた1990年代には、写真を編集するソフトウエアのフォトショッ

図2　上：スターリンと撮影する1925年4月の第14回党大会の出席者。左から右に、ミハイル・ラシェビッチ（1927年自殺）、ミハイル・フルンゼ（1925年死去）、ニキーティチ・スミルノフ（1936年銃殺）、アレクセイ・ルイコフ（1938年銃殺）、クリメント・ボロシーロフ（1969年死去）、スターリン、ニコライ・スクリープニク（1933年自殺）、アンドレイ・ブーブノフ（1940年強制労働収容所にて死去）、セルゴ・オルジョニキーゼ（1937年自殺）、ヨシフ・ウンシュリフト（1938年銃殺）。デビッド・キング・コレクション（英国テート所蔵、収蔵品番号：TGA20172/2/3/2/306）[2] 下：1939年に焼き増しされた同じ写真では修正が加えられ、フルンゼとスターリンの親しい友人であるボロシーロフとオルジョニキーゼだけが残されている[3]。

プが登場し、スターリンのもとで熟練の職人たちが手作業で行っていた写真の加工を、一般の人でもできるようになり始めた。現在では、もっと手軽に写真の編集ができる。もう高価なコンピューターやソフトウエアはいらない。誰でも無料で使いやすい写真編集アプリをスマートフォンにダウンロードできる。ところで私たちは、一見正しく思われる音声や画像素材を、本物だと信じてしまう傾向がある。心理学者はこれを「処理の流ちょう性」と呼び、人は無意識に、脳が素早く処理できる情報を肯定的にとらえるのだと説明する。文章よりも、視覚に訴える情報を受け入れやすいのだ。例えば、「マカデミアナッツは桃と同じ科の植物だ」という文にマカデミアナッツの写真が添えられていたら、それを信じやすくなるのだという。[4]

それでも、写真は加工できるという事実を当たり前のことだと思っている人は、2回、3回と見るうちに処理の流ちょう性を補正することができる。しかし音声や動画に関しては、改変されない真正なものだと思う傾向がいまだに強く、この補正は働かない。一般的に、動画や音声の内容は、自分自身が見聞きしたものだと錯覚しやすく、自分自身の知覚の延長として機能する。それゆえ、動画や音声といったメディアが、デジタルに精通している人だけでなく、あらゆる人々にとって最も重要なコミュニケーションの形になりつつある今、ＡＩを用いて音声や動画を改ざんする手段が発達しつつあるというのは、極めて憂慮すべき状況だ。情報の時代を生きる私たちは、音声や動画といったメディアを大量に消費するだけでなく、製作する立場でもある。何十億という人々がスマートフォンというコンパクトなデバイスを使い、音声や動画を視聴するだけでなく、自ら発信して自分の暮らしを伝えている。まもなくハリウッドの特殊効果映像のような合成メディアを誰でも作れるようになり、この状況はさらに加速するだろう。２０２２年までには、世界のインターネットでやり取りされるデータ量の82パーセントを動画の配信とダウンロードが占めるようになると見積もられている。そして２０２３年までには、世界人口の70パーセントが携帯電話でインターネットにつながるとされている。そうなれば、56億人がオンラインで動画を視聴するだけでなく、製作するようになるだろう。見聞きするだけでなく、記録して投稿するようになるのだ。

誰もが、ハリウッドレベルの特殊効果映像のような合成メディアを作り、投稿できる。この異次元の進歩が、私たちの現実認識全体に与える影響は計り知れない。悪質な発信者が、人々がメディアをやり取りする場を乗っ取れば、歴史上類を見ない規模で人々の認識を操作できるようになる。この攻撃から身を守る手段は、まだ誰も持ち合わせていない。

ユーチューブが映画を超える

映画の観客は、架空の世界だということを承知の上で、合成された音声や動画を見る。画像の合成は、映画産業が産声を上げたときから行われている芸術の一ジャンルだ。2000年代に撮影がデジタル化すると、特殊効果（SFX）の専門技術者がCGを駆使して素晴らしい映像を生み出すようになった。一方、動画の編集や特殊効果の付与が手軽にできる市販のアプリやソフトウエアも次々とお目見えした。それでも当時は、高性能の装置を使うのは、何百万ドルもの予算と特殊効果の専門家を抱えた映画会社だけに許されたぜいたくだった。

ところがAIの進歩によって、これまでハリウッドの大ヒット映画の製作者が独占していた技術に、普通の人々も手が届くようになったのだ。2019年に公開された映画『アイリッシュマン』は、マフィアの殺し屋の人生を描いている。マーティン・スコセッシ監督のこの作品の主要キャストは、ロバート・デ・ニーロ、アル・パチーノ、ジョー・ペシだ。70年に及ぶ物語のため、彼らは20代の役も演じている。1億4000万ドルの予算の一部を使い、スコセッシ監督は特殊効果の専門家チームを雇用、撮影後にCGを用いて編集し、キャストを若返らせた。3台のカメラを搭載した撮影装置が必要になるなど、次々と技術的な問題が浮上した。後に監督は、「気違いじみた挑戦だった」と振り返っている。[5]だが苦労した割には、結果は芳しくなく、スクリーン上の俳優たちの顔は、せいぜい40代から60代にしか見えなかった。CG画像の出来栄えの悪さについて、「紛らわしくて、たびたび気を取られてしまう」という批判もあった。[6]

映画の公開から3カ月後、ユーチューブに「アイリッシュマンの若返り：数百万ドルを投じたネットフリックス対無料のソフトウエア」[7]と題した動画が投稿された。アイフェイク（iFake）というチャンネル名の匿名のユーチューバーが、無料のソフトウエアを用いて、スコセッシ監督が苦労した出演者の若返りに挑戦したのだ。アイフェイクは資金にも人手にも頼ることなく、わずか7日で素晴らしい結果を出した。オリジナルの作品と並べて比べているユーチューブの映像は、驚くほどの出来栄えだった。確かに、ゼロから作り上げたのではなく、すでにスコセッシ監督が入念に編集した映画をもとに製作しているため、アイフェイクの挑戦の方がはるかにたやすい。しかし、合成メディアの力をいち早く示したものであることに変わりはない。スコセッシ監督がこの映画の製作に取り掛かったのは2015年のことだった。何百万ドルもの予算を手に、精鋭の特撮チームが結成された。それが2019年12月には、無料ソフトウエアを使う一介のユーチューバーに打ち負かされたのだ。いったいAIのどんな進化がこんな奇跡を起こしたのだろうか。

AI革命：ディープラーニング

かつてAIはSFに登場する空想上の存在だった。今では実用化されている。今後、暮らしを劇的に変えていくだろう。合成メディアは、そのほんの一例だ。1950年代のコンピューターの発明以来、科学者はコンピューターに人間レベルの知能もしくは人工知能（AI）を与える方法を研究し続けてきた。1980年代には、AIの研究者は二つの立場に分かれていた。片方はルールをベースにしたAIの開発を進めており、コンピューターに一つ一つルールをプログラミングしていく方法を試していた。もう一方は、人間の脳のニューラルネットワーク（神経回路網）をまね、機械が自分で学習することで、データを処理し意思決定できる構造にすることが、ＡＩを開発する最適な方法だという仮説を立てた。そうすれば機械は人間と同じように、経験を通じて学ぶことができるようになると考えたのだ。

この理論は、２０００年代になってようやく十分なデータと処理能力が実現し、試験段階に進んだ。そして、実現可能だということが判明する。人間の脳を大まかにまねた人工のニューラルネットワークを作ると、本当に機械が与えられたデータを処理して〝学習〟し、自律的に判断してタスクをこなしたのだ。これが後にディープラーニングと呼ばれる、ニューラルネットワークを使った自律的機械学習のプロセスだ。ここ10年でディープラーニングは急速な進歩を遂げ、現実の世界のＡＩの開発が加速し、多くのことに応用されるようになった。顔認識の技術を例に取ってみよう。機械学習システムは人間の顔の膨大なデータを与えられて訓練され、やがて極めて正確に人の顔を自律的に認識できるようになる。自動運転車の走行でもディープラーニングのシステムが重要な役割を果たしている。機械学習システムに膨大なデータを与え、停止の標識や信号、歩行者を見つけて反応するよう訓練するのだ。

ＡＩ研究の世界では、最新の研究内容、ツール、ソフトウエアなどがインターネット上で誰でも自由に使えるオープンソースという形を取って提供されることが多く、研究者の英知が結集される。加えて、広範囲への応用が期待されるため、学術研究への民間投資も盛んだ。こういった状況がディープラーニング革命を引き起こしている。ただ、技術が進化すると、必ず良いことにも悪いことにも使われる。そして最初のディープフェイクが出現した。誰かが新しいＡＩを利用して、「顔入れ替え」というこれまでにない動画の改ざんの方法を発見したのだ。オートエンコーダーという機械学習システムを使い、既存の動画の顔を他の顔に入れ替えるよう、コンピューターに〝教えた〟。この合成メディア革命の始まりの舞台は、レディット（Reddit）というインターネット上の掲示板だった。

ルール34

２０１７年12月11日、「ＡＩを使ったニセポルノ出現で騒然」という見出しの記事が、『マザーボード』というテクノロジー系のニュースサイトに載った。[8] サマンサ・コールが執筆したこの記事は、ディープフェイクに関する世界初のニュースだった。「インターネットの法則」の通り、ディープフェイクもポルノから始まった。「インターネットの法則」というのは、ハッカー集団アノニマスの慣例や約束事の手引書がベースになったとされるインターネット上の言い伝えだ。中身については、インターネットの世界の本質を的確に表現しようと、さまざまなバージョンや草案が作られ、意見の対立もあった。ただ唯一、「存在するすべてのものにポルノがある。例外はない」というルール34には、誰もがうなずく。つまり、AIによって作られる動画にも、ポルノが存在するということだ。

２０１７年11月2日、フェイクとディープラーニングを組み合わせた「ディープフェイクス」というニックネームを使う匿名のレディット利用者が、ディープフェイクス（r/deepfakes）という名称の掲示板を作り、AIを使って作ったハリウッド女優のニセポルノ動画を投稿した。ディープラーニングのアルゴリズムの実用的な知識があれば誰でも利用できるオープンソースのプログラムを使い、自分で作った動画だ。もともとインターネット上には、有名人のニセポルノや流出したポルノがあふれている。だがディープフェイクスが投稿した動画は看過できないものだった。サマンサ・コールは後にテデックス

（TEDx）のトークイベントで、従来のニセポルノとは一線を画し、彼女たちは「動き、微笑み、顔をゆがめ、セックスした」と述べている。[9] アンジェリーナ・ジョリーの顔写真を裸のポルノ女優の顔に貼りつけただけのものとは次元が違う。

2020年の初め、私はサマンサに電話をかけ、2017年のスクープ記事について話を聞いた。「人目につきにくいインターネットの片隅を探るのが私の仕事です」と彼女は言った。米国のヴァイス・メディア社の科学とテクノロジー部門である『マザーボード』の記者として、インターネットのすみずみに関心を寄せる。ディープフェイクのようなAIの悪用、ユーチューブにおける確執、怪しげなガジェットなどが彼女の興味をそそる。レディットを探っていて、ディープフェイクスの掲示板を見つけたときの話もしてくれた。レディットの中でも話題のスレッドだったという。「こんなことが私たちの目と鼻の先で起きていたのです」とサマンサは憤った。私と同じようにサマンサも、これはまだ序の口で、今後この技術は甚大な影響をもたらすと確信したという。「レディットの一ユーザーであるこの男にできたのだから、他にも同じことをする人間が出てきて、また被害者が出るに違いない」と考えたのだ。彼女は投稿者のディープフェイクスに連絡を取り、匿名という条件で話を聞けることになった。ディープフェイクスは、プログラマーや専門家ではなく、「機械学習に興味を持っているだけ」の一般人だと話した。サマンサは「彼の正体はわかりませんでした。本当の仕事もね」と考え込む様子で冷ややかに述べた。ディープフェイクスは、オープンソースのＡＩソフトウエアを使って、ポルノ女優の顔をセレブの顔に入れ替える「スゴ技」を見つけた時のことを話したという。

『アイリッシュマン』の例でわかるように、２０１６年の時点ではまだ、こういったメディアの編集ができるのは特撮の専門家だけだった。動画の編集には、十分な時間と技術と資金という、一般人にはなかなか越えられない高い壁があったのだ。ディープフェイクスはテンソルフロー（TensorFlow）とケラス（Keras）という機械学習のためのオープンソースのプラットフォームを使ってその壁を打破した。前者はグーグル・ブレインが開発したもの、後者はディープラーニングの迅速な実験ができるように設計されたものだ。こういったＡＩ研究の第一人者たちの成果を巧みに利用し、ディープフェイクスは〝フランケンシュタインの怪物〟を自作した。ハリウッド女優ガル・ガドットが近親相姦をしている動画だ。サマンサは記事にこう書いている。

インターネット上に、ガル・ガドットが義理の兄とセックスをしている動画がある。体は別人のものだが、顔はガドット本人のように見える。既存の近親相姦ポルノの顔を入れ替え、ガドットが出演しているように見せているのだ。

いったいどうやってこんなものを作ったのか。ディィープフェイクスは、グーグルの画像検索やストック写真、ユーチューブを使い、ガル・ガドットのデータを集めた。そしてそれらを使って、一コマごとに既存のポルノ動画の出演者の顔をガドットの顔に入れ替えるよう、ＡＩのアルゴリズムに学習させたのだ。目を凝らして動画を数秒以上見ていれば、違和感に気づくはずだ。狂いがある。ときどき、ガドットの口の動きがセリフと合っていないのだ。オーラル・セックスの場面では、彼女の頭に箱がかぶせられている。ただし注意深く見ていないと、間違いなく本物だと思ってしまう。

ディープフェイクスがニセポルノの製作方法をレディットで広く公開すると、すぐにまねをする人々が現れた。誰でも試すことができた。子供時代から有名だった二人の大女優も、いち早くディープフェイク・ポルノの被害者になった。『ゲーム・オブ・スローンズ』のアリア・スターク役で有名なメイジー・ウィリアムズと、『ハリー・ポッター』で名高いエマ・ワトソンだ。レディットにおけるディープフェイクスの行為をスクープしたサマンサの記事が出ると、騒然となった。レディットは数週間のうちに、同意のないポルノが含まれているという理由でディープフェイクスの掲示板を閉鎖した。その後、ニセポルノを最初に投稿したディープフェイクス本人は姿を消したが、ディープフェイクを製作するのに必要なプログラムは、すでに公開されていた。

ディープフェイクスが始めた顔入れ替えの技術は、やがて大人気になった。あっという間に、自分でディープフェイクを作成できる新しいツールや無料のソフトウエアがインターネット上に出現した。特に有名なのは、ディープフェイスラボ（DeepFaceLab）とフェイススワップ（Face Swap）だ。どちらも謎のプログラマーが提供する合成メディアを作るためのソフトウエアで、誰でも無料で使うことができる。使いこなすにはある程度技術的な知識が必要だが、根気と技術次第で、見事な合成メディアができる。アイフェイク（iFake）、コントロールシフトフェイス（Ctrl Shift Face）、シャムック（Shamook）といったユーチューバーも、これらのソフトウエアを使って有名になった。ハリウッドの名作映画の俳優を別人に入れ替えて、笑いを取っているのだ。コントロールシフトフェイスは、『ホーム・スタローン』と題して映画『ホーム・アローン』のマコーレー・カルキンをシルヴェスター・スタローンに入れ替えた動画を製作した。[10] ユーチューブで何百万という視聴回数を誇る面白い動画だ。初期のディープフェイク動画には、ハリウッドを代表する俳優ニコラス・ケイジのものが何十本もある。時折大げさ過ぎるほどドラマティックな演技をするニコラス・ケイジは、インターネットの人気ネタだ。過去のさまざまな映画の出演者の顔をニコラス・ケイジの顔に入れ替えることが大流行した。ダープフェイクス(DerpFakes)というユーチューバーは、映画『サウンド・オブ・ミュージック』から『ファイト・クラブ』まで、出演者の顔をニコラス・ケイジの顔に替えた映画を集めた『ニコラス・ケイジ・メガ・ミックス』という動画を製作した。[11] こういった初期のディープフェイク動画は、悪意のない本当に面白いものだったが、主流ではない。今に至るまで、顔入れ替えの技術が一番よく使われているのは、本人の同意なく作られたニセポルノだ。

同意なきニセポルノ

レディットで誕生して以来、ディープフェイク・ポルノの世界は、独自の発展を遂げてきた。もっと詳しく知るため、私はアムステルダムを拠点とするディープ・トレイスという企業に話を聞いた。この会社は、進化を続けるディープフェイクの可能性と脅威を研究するため、2018年に設立された。AIが生み出す合成メディアの悪用による組織や個人の被害を防ぐため、迅速に立ち上げられた民間企業の草分けだ。多くの企業が後に続いている。

ディープ・トレイスは2019年の報告書の中で、ディープフェイクに関する現状を述べている。それによると、ディープフェイクのコンテンツは急増した。「専門的な知識のない人でもディープフェイクを簡単に製作できるツールやサービスの商品化が進んでいること」[12]がその一因だという。同社が数えたところでは、2019年9月の時点でインターネット上に1万5000件のディープフェイク動画が存在していた。

ディープ・トレイスの創立者ジョルジオ・パトリーニと話したところ、彼はディープフェイクのコンテンツの数は2020年以降、ポルノ以外も含めて爆発的に増加すると確信していた。ところが現状では、ディープフェイク動画はポルノという一分野に集中しており、96パーセントが同意のないポルノであると判明したという。ディープフェイク・ポルノの巨大なマーケットが存在することは明らかだ。ディープフェイク・ポルノのサイトが初めて出現したのは2018年の2月だった。今では、主だった四つのディープフェイク・ポルノのサイトの総視聴回数が1億3400万回に上る。サイトはグーグル検索で簡単に見つかり、訪問してみると、堂々と「最高のディープフェイク・ポルノ動画を提供」とうたっていた。数回クリックするだけで、すべての動画を無料で見ることができる。トップページには、次のような宣伝文句が書かれていた。

さまざまなポルノが満載。拘束プレイ、フェチ、アナル、フェラチオ、フィストファック、(中略)ティーンなど選び放題! 顔入れ替え技術を使っているので、本物のセレブが出演しているように見えること請け合い![13]

さらに、セレブの感情や表情を「見事に表現」していて非常にリアルだと自慢する。例えば、「エマ・ワトソンがファンにフェラチオをしているポルノ動画、わいせつ画像の注意書きが付いた、スカーレット・ヨハンソンがアナル・セックスをしている動画、メイジー・ウィリアムズがカメラの前で初めてのセックスをしているフェイク動画」など、今ではどんな妄想でもかなえられるようになったのだ。また、この技術を使えば、「これまでは実現不可能だった」非常に過激な内容の動画も作成可能だ。例えば、「イヴァンカ・トランプかミシェル・オバマがカメラの前でSMプレイをしている」ところを「ビル・クリントンが見ている」というような、有名人のわいせつ画像を見たいという欲望だって満たせるのだ。

ディープフェイク・ポルノの被害者が女性ばかりであることは否めない。新しいディープフェイク・ポルノのサイトの動画を数百本見たが、男性有名人の動画は一本もなかった。ブラッド・ピットもジョージ・クルーニーもジョニー・デップもいないのだ。インターネットのすみずみまで調査していたサマンサ・コールに、男性のディープフェイク・ポルノがあったかを聞くと、すぐに答えが返ってきた。「そういうものはないですね。まったく見ませんでした」。だが女性となると、大げさではなく、ポルノサイトのリストに何百という有名人の名前が載っている。その出身地は数十カ国に上り、民族も多様で、金髪、ブルネット（茶髪）、赤毛など髪の色もさまざまだ。思いつくセレブ女性の名はことごとく見つかる。あまりに膨大で、「アナル」、「3P」、「マスターベーション」などといったカテゴリー分けまでされている。こういったサイトは、動画が同意のないフェイクポルノではないと嘘をついて運営しているわけではない。多くの動画には、製作者の署名まで添えられている。

初期のガル・ガドットの動画のように、フェイクだとわかる動画がまだ多いが、だんだん精巧になっている。いずれにせよ、問題は質ではない。ディープフェイクであろうとなかろうと、出来栄えが良かろうと悪かろうと、被害者にとってはあらゆる同意なきフェイクポルノが脅威であり、恥ずかしく、屈辱的なものなのだ。まだ被害者が自分を守る方法はない。ハリウッドきっての高額出演料を稼ぐ女優スカーレット・ヨハンソンのように、非常に裕福で資金力のある被害者でも同じことだ。2018年に『ワシントン・ポスト』紙のインタビューで、フェイクポルノのようなコンテンツを排除することは不可能なので、自分も代理人も手の打ちようがないと話している。「フェイクポルノの件では何度も何度も嫌な思いをしてきました」と言い、「国によって、個人の写真に関する法律は違います。ですから、自分の顔を使ったサイトを米国で削除できても、ドイツでは同じルールが適用されるとは限らないのです」と肩を落とす。「追跡しても無駄」だと漏らし、インターネットは「内部からむしばまれていく虫食い穴のような広大な闇」なので、いつ誰が被害者になってもおかしくないと警告した。[14]

GANの生みの親

ヨハンソンの不安は的中した。本書で取り上げてきた事例は氷山の一角にすぎない。合成メディア革命はまだほんの入り口だ。合成メディアを作り出す方法は急速に進歩している。初期のディープフェイクである顔入れ替えは、オートエンコーダーと呼ばれるディープラーニングのシステムを利用したものだ。しかし今、もっと多用途に使えるディープラーニングのシステムがこれに取って代わり、合成メディアの作成に使われるようになった。この変化をもたらしたのは、一人の男の発明だった。米国の研究者イアン・J・グッドフェローが２０１４年に発明したＧＡＮと呼ばれるディープラーニング・システムだ。

iPhoneの音声アシスタントSiri（シリ）に、コンピューターの天才は誰かと質問したら、グッドフェローを挙げるだろう。ヤギひげを生やし、ふさふさの焦げ茶色の前髪を垂らした眼鏡の男性で、穏やかな語り口のグッドフェローは、いわばAI界のスーパースターだ。2014年のある夜、機械学習の博士課程の学生だったグッドフェローは、モントリオールの人気ビアホール、レ・トロワ・ブラッスールで友人たちとビールを楽しんでいた。話題は彼らが取り組んでいたディープラーニング・プロジェクトのことで、なかなかAIに本物らしい人間の顔を作らせることができずに苦労しているという話をしていた。ディープラーニングの開発当初、機械は顔認識を可能にするようなデータの分類は得意だったが、一から作り出すとなるとうまくいかなかったのだ。

ビールをすすりながら耳を傾けていたグッドフェローは、突然ひらめいた。もし、二つのディープラーニングのニューラルネットワークをゲームで戦わせたらどうなるだろう。片方が新しい情報を作り出そうとし、他方がそれを見破る。ゲームを進めるうちに、生成する側は、検出する側を打ち負かそうと、どんどん能力を向上させるだろう。生み出す側が検出する側に勝つまで、繰り返し戦い続けるはずだ。要は、競わせるというアスリートのトレーニングでよく行われる方法を、ディープラーニングに応用できないかと考えたのだ。友人たちは嘲笑《あざわら》ったが、帰宅したグッドフェローはその夜のうちに作業に取りかかり、人間の顔を作り出すために、二つのディープラーニングのネットワークを敵対的なゲームで競わせるプログラムを作成した。すると、生成する側が検出する側を打ち負かそうとすることで、タスクがどんどん向上した。グッドフェローは信じられないような突破口を開いたことに気づいた。数時間のうちに、彼が作り上げたシステムによって、これまでにない精度で人間の顔を生成することに成功したのだ。最初の敵対的生成ネットワーク（GAN）の誕生だった。

本章の最初に載せた図1の写真をもう一度見てほしい。左のきめの粗い顔写真が、2014年のその夜、グッドフェローが作り出したものだ。グッドフェローがGANを発明して以降、生成される画像の質は急速に向上した。右の顔はわずか4年後の2018年にGANを使って生成されたものだ。合成メディアを作るAIの進歩がいかに速いかわかるだろう。GANのおかげで、すでにAIは完璧に近い写真を作り出すことが可能になった。音声や動画で同じことができるようになるのは時間の問題だ。GANに使われている反復的敵対的学習プロセスなら、理論上、AIが生み出すあらゆるメディアを完璧になるまで向上させることができる。優れたAIがどれほど完璧な写真を生成するかに興味があれば、「この人間は存在しない」(www.thispersondoesnotexist.com)というウェブサイトを見てほしい。グッドフェローの研究に基づくGANを使った、新しく人間の顔を生成するウェブサイトだ。ページを更新するたびに、AIが新しい顔写真を合成する。しわや毛穴、そばかすなどの細部に至るまで、驚くほど本物の人間そのものだが、実在する人間の顔は一つもない。

進化を続けるテクノロジー

GANは今のところ合成メディアを生成する最先端の手段だが、将来的にはこれを超えるものが出てくるだろう。合成メディアの生成の研究は爆発的な広がりを見せている。とてつもない速さで開発が進み、減速の兆しはまったく見えない。それを後押ししているのは、オープンソースのAIと、民間の莫大な投資だ。合成メディアは夢を広げ、大きな利益を生む多方面への応用が期待できるため、完璧な合成メディアを作る技術を開発しようと、皆躍起になっているのだ。

例えば映画産業では合成メディアによって、どんなことができるだろうか。肖像を使ってAIを訓練することで、今は亡き歴史上の人物を簡単によみがえらせることができるようになる。文化や芸術の分野でも使われるだろう。フロリダのサルバドール・ダリ美術館ではAIを使って、『ダリ・ライブ』という展示を実現した。シュールレアリズムの芸術家ダリを合成メディアによってよみがえらせたのだ。動画にダリが登場し、美術館の来館者を〝もてなす〟。一見の価値ありだ。こんな風にダリの作品を鑑賞するとわくわくする。[15]

合成メディアは、ゲーム産業にも変化をもたらすだろう。FIFAのようなサッカーのゲームで、本物の選手が試合をしているような画像を実現できる。ファッションの世界ではすでにAIを用いた合成メディアのモデルが登場している。2019年8月には、ベルリンを拠点とするファッションとテクノロジーの企業ザランドがGANを使い、さまざまな服をまとい、ポーズを取ることのできるAIによる合成画像のモデルを製作した。[16]

広告の世界では、2020年4月に合成メディアを使ったコマーシャルが放映されている。1990年代のバスケットボール選手マイケル・ジョーダンとシカゴ・ブルズの黄金期を回顧し、ESPNとネットフリックスが共同製作した10回シリーズのドキュメンタリー番組『ラストダンス』の宣伝だ。コマーシャルは、テレビ番組『スポーツセンター』の過去の映像で始まり、テレビ解説者ケニー・メインが、1998年のNBAファイナルでブルズが6回目の優勝を飾ったことを報告する。そして突然、メインキャスターがニュースの台本から脱線し、「ESPNは当時を振り返るドキュメンタリーを製作します。タイトルは『ラストダンス』。10回のシリーズで2020年に公開します。きっと素晴らしい作品になるでしょう。お楽しみに」と語る。すると、保険会社ステートファームのロゴが背景に現れ、メインが「ステートファームはこのドキュメンタリーに協賛します」と付け加える。[17] 広告の天才の仕業だ。この気の利いたコンセプトは、すぐに視聴者の心をつかんだ。『ニューヨーク・タイムズ』紙は、「ESPNのコマーシャルは、ディープフェイクを使った次世代の広告を予感させる」と報じた。[18]

さらに理解を深めるため、私はビクター・リパルベリに話を聞いた。ロンドンを拠点に商用の合成メディアを作る、シンセイジアというスタートアップ企業のCEOで創業者だ。ビクターによれば、今のところ動画は情報を伝える最強の手段で、合成メディアは

「未来のコンテンツの作り方をうかがわせる」ものだという。シンセイジアではすでに、顧客の求めに応じて合成メディアを製作している。顧客の大半は『フォーチュン』誌が選ぶ上位500社に名を連ねる企業だ。ビクターによれば、企業広報をＡＩが作る動画に切り替える企業が多いという。例えば同時に多言語での動画を作成できるといった、極めて柔軟な対応ができるからだ。技術の進歩に伴い、ＡＩを使った合成の動画は至る所で見られるようになるとビクターは話した。合成の動画が、わずか3年から5年のうちにすべての動画コンテンツの90パーセントを占めるようになると彼は予想し、素晴らしいことだとたたえる。現在、高品質の動画コンテンツは、「資金が潤沢でハリウッドとつながりのある人々しか作れない」が、ユーチューバーでも合成メディアを用いて質の高い動画を製作できるようになれば、おのずと「創造性が勝利する」時代になると話す。

私が話をしたデータ科学者の中には、ＡＩがさまざまな形の商用の合成メディアを完璧に作るようになるのは、5年から7年先のことだと考えている人もいる。ちなみにこの分野の基準は非常に厳しく、完璧とは完全無欠という意味だ。時期がいつになるかはさておき、技術が進歩すれば、ディープフェイクにも使用されることは想像に難くない。「新しいテクノロジーが現れると、必ず悪用される」とビクターも同意している。

動画が人間のコミュニケーションにとって最も重要なメディアになれば、ディープフェイクが武器として使われるようになることは間違いない。映画の世界で行われてきた映像の加工が、現実の世の中でも行われるようになるのだ。AIが生み出す合成メディアには三つの際立った特徴がある。第一に質だ。AIはかつてのどんなCG画像よりも格段に優れた視聴覚効果を作り出す。第二に一般への普及の効果だ。技術の進歩に伴い、アプリやソフトウエアで容易に利用できるようになると、利用する人がどんどん増える。第三に費用だ。技術の進歩に伴い、安価もしくは無料で合成動画を製作することが可能になる。こういった傾向はすべて、すでに始まっている。

動画がまだ非常に信頼されている上、これまでになく重要性が増している現在、情報の環境が急速にむしばまれている状況の中でAIが悪意をもって利用されれば、深刻な事態を招きかねない。ディープフェイクがインフォカリプスを引き起こしたわけではないが、進化を続ける最新の脅威であることは確かだ。国際関係をはじめ、社会のあらゆるレベルに影響が及ぶだろう。

第2章
ロシアが見せる匠の技

ロシアの大統領ウラジーミル・プーチンは、「ジェームズ・ボンドの敵」を地で行く人物だ。男らしさをアピールするため、わざとらしくて滑稽な「やらせ写真」をいろいろ公開している。上半身裸で鞍なしの馬に乗ったり、1万ドルの設備でウエイトトレーニングをしたりする姿や、釣り上げた70キロのカワカマスにキスをしている雄姿などがインターネット上で散見される。世界を支配する構想を練る傍ら、白猫をなでるような一面もあるらしい。そんなプーチンの〝かっこいい〟ネタがインターネット上で人気を博しているとにも驚きはしない。しかしユーモアのある写真にごまかされて、インフォカリプスにおけるロシアの本当の恐ろしさを見過ごしてはならない。

プーチンは世界で指折りの危険な人物だ。プーチンが政権の座に就いているここ10年で、ロシアは国際政治に甚大な影響を及ぼし始めた。インフォカリプスの混乱に乗じて、米国をはじめとする西側諸国に、これまで以上に大胆な攻撃を仕掛けているのだ。ロシアは、情報のエコシステムがインフォカリプスに陥るよりもはるか前から、情報戦を得意としていた。冷戦から2020年までにロシアが米国に対して行った三つのニセ情報作戦をたどり、インフォカリプスの状況下で、ロシアによる攻撃の危険性が格段に増していることを示したい。ロシアに触発された悪質な独裁国家が、ロシア政府に倣ってインフォカリプスを利用しようとしていることも見逃せない。

始まりは冷戦時代

１９８４年、元ＫＧＢの高官ユーリ・ベズメノフがテレビのインタビューに答え、ソ連がニセ情報を広めたテクニックについて語った。ソ連の諜報機関ＫＧＢは、従来の「スパイ活動」に代わり、デマを武器とする「心理戦」を常とう手段として、西側諸国を混乱させ、分断しようとしていたと言う。

（それは）イデオロギーの転覆もしくは「積極的政策」と名付けられた、時間をかけた作戦だった。（中略）要するに、すべての米国人の現実認識を変化させ、情報が豊富であるにもかかわらず、誰もが自分自身や家族、地域社会、そして祖国を守るための分別のある結論を導き出せないようにするということだ。[1]

ベズメノフは、まさに今起きていることを予言していた。インフォカリプスにおけるロシアのニセ情報作戦の前に、「感染症作戦」と呼ばれるソ連の策略について触れておこう。

感染症作戦

1983年7月、「米国の実験で発生したエイズという謎の病がインドに侵入の可能性」という見出しの記事が、ニューデリーで発行されたうさん臭い新聞『パトリオット』に載った。内容は衝撃的だった。米軍が黒人とゲイを殺すための生物兵器として、エイズという致死性のウイルスを発明したというのだ。記事は匿名の差出人からの手紙を引用していたが、このスクープを「有名な米国の科学者と人類学者」が支持していると書かれていた。ウイルスは、メリーランド州にある米軍施設フォート・デトリックで作られたという。1940年代、フォート・デトリックは米国国防総省の極秘の生物兵器計画の拠点だった。第二次世界大戦中には、この施設で炭疽菌《たんそ》爆弾が発明された。1945年に終戦を迎えていなければ、100万個もの炭疽菌爆弾が作られていただろう。実現はしなかったが、フォート・デトリックを拠点とする極秘の計画は他にもあった。敵の領土の上空で黄熱病に感染した蚊を飛行機から放ち、ウイルスをばらまくというものだ。研究所には感染した蚊を1カ月に50万匹生産する設備があり、いずれは1カ月に1億3000万匹生産できるまでに増強する予定だった。こういった歴史を考えると、エイズウイルスに関する告発も、まんざらあり得ない話ではないように思われたのだ。

実際には、ニクソン大統領が生物兵器の使用を断念したことから、米国による生物兵器計画は1960年代には下火になり始めた。1970年代までには、フォート・デトリックの権限は大幅に縮小され、生物兵器の生産ではなく、生物兵器からの防御に重点が置かれることになった。それにもかかわらず『パトリオット』は、米国政府の科学者たちが秘密の任務でアフリカと中南米を探し回って感染力の高い病原体を見つけ、フォート・デトリックでエイズウイルスを作ることに成功したと報じたのだ。米国が生物兵器による戦争を仕掛けようとしているというデマの拡散は、冷戦時代にソ連が米国に対して繰り返し用いた手法だった（この件については新型コロナウイルスのパンデミックを取り上げる第6章で再び言及する）。

ソ連が、資金を提供していたインドの新聞にニセ情報の種をまいた1983年に話を戻そう。当時は今のような情報の環境が整っていなかったため、根も葉もないデマを広めるためには、入念に〝育て上げる〟必要があった。6年もの歳月をかけ、ついにソ連はデマを世界に拡散することに成功する。

その経緯を説明しよう。

1983年に発行された『パトリオット』に、米国国防総省がエイズという生物兵器を作ったという記事が載った。数年間はこのデマが世間を騒がすことはなかったが、ソ連は米国が国際法違反の生物兵器戦争の計画を推し進めていると非難し続けた。1985年、モスクワ放送はCIA（米国中央情報局）がキューバでデング熱をばらまくとともに、南アフリカを支援して黒人に対して用いる生物兵器を作らせていると報じた。すると同年、ソ連のメジャーな週刊新聞『リテラトゥルナヤ・ガゼータ』が、かつてのエイズの件を非難する記事を唐突に掲載した。ジャーナリストのバレンティン・ザピバロフが書いたこの記事は、「西側でパニック、エイズ騒動の裏に隠された真実とは」という見出しで、「高く評価されている」インドの新聞『パトリオット』の記事を引用しながら、エイズに関する陰謀があったと強調した。もちろん、『パトリオット』に記事を載せた仕掛け人がソ連だということには触れていない。

次の年、ヤコブ・シーガル教授が、『エイズ：その正体と起源』と題した、エイズが人工のウイルスだという主張を裏付ける〝科学レポート〟を発表した。よく調べてみると、シーガル博士は引退した76歳の東ドイツの生物物理学者で、共著者で妻のリリー・シーガル博士もやはり引退した東ドイツの疫学者だということがわかった。

エイズの流行が深刻化すると、ソ連は作戦を強化した。1986年、ソ連の報道機関は、エイズが米国国防総省の研究施設で作られたものだと繰り返し伝えた。科学的な証拠として、シーガルの報告書が広く引用されたが、東ドイツ人のヤコブ・シーガル教授をフランス人研究者と誤記していた。世界に合計100以上の支局を持つ、ソ連のタス通信とロシア通信社ノーボスチを通じて、ニュースは世界中に伝わった。さらにソ連は、発展途上国の地元の新聞社を金品で釣るなどして言いくるめ、再びこの記事を掲載させた。

1986年のうちに、このデマが広まり始めた。数十に及ぶ世界中の新聞社が、何の疑いも持たず、もしくは同調してこの記事を掲載した。西側諸国も例外ではなかった。英国のタブロイド紙『サンデー・エクスプレス』は、ヤコブ・シーガルのインタビューとともに一面で取り上げた。ただ英国では、この話を否定する記事が『タイムズ』や『サンデー・テレグラフ』に掲載されたため、シーガルの主張はすぐに覆された。それでもソ連の作戦は大成功だった。１９８０年代の末までに、80以上の国々の主要な新聞に記事が掲載されたのだ。特にアジアやアフリカでは大々的に取り上げられ、人々の怒りを買った。こうして世界中で米国のイメージが損なわれた。

感染症作戦は、米国を内部からも分断させようとする卑劣極まりない策略だった。アフリカ系米国人のコミュニティーを標的にすることで、人種問題と黒人を利用するという極めて非情な手段を取ったのだ。アフリカ系米国人に、政府が自分たちを殺そうとしていると思い込ませるのは、至って容易だった。米国政府がアフリカ系米国人を使って、タスキギー梅毒実験と呼ばれる悪名高い人体実験を行った歴史があるからだ。まだ梅毒の有効な治療法がなかった１９３２年、無料で治療が受けられるという宣伝文句で、研究のために６００人のアフリカ系米国人男性を募った。応募者には、さまざまな健康問題を引き起こす「悪い血」の定期検査を行うという説明がなされた。実際に行われたのは、梅毒の初期から末期までの経過を観察するという研究だったのだ。すでに梅毒にかかっていた４００

人の被験者は、誰一人そのことを伝えられていなかった。１９４７年にペニシリンが梅毒の治療に有効だとわかってからも、伝えられなかった。パートナーに感染し、先天性梅毒の胎児が誕生するようになっても、そして失明や精神の異常、死亡に至っても、本当のことが知らされることはなかった。

感染症作戦が世界に浸透するまでには10年近い歳月がかかったが、いまだに米国に大きな傷痕を残している。アフリカ系米国人社会では現在でも、エイズが人工のウイルスだという考えが根強く残り、ＨＩＶの感染予防を妨げる原因になっているほどだ。アフリカ系米国人の48パーセントはエイズが人工のウイルスであると信じており、27パーセントが政府の施設で作られたものだと信じているという報告もある。[2]１９８４年にユーリ・ベズメノフが述べたように、作戦が米国人の「現実認識」を変えてしまい、「情報が豊富であるにもかかわらず、自分たちを守るための分別のある結論」を導き出せないのだ。

感染症作戦の余波は、バラク・オバマにまで直接及んだ。以前、オバマ氏が通っていた教会のジェレマイア・ライト牧師が、ＨＩＶは米国政府が自国の黒人の虐殺のために作ったウイルスだと主張したのだ。オバマ氏は世論を受け、ライト牧師と関係を断つしかなかった。1983年にソ連がインドでまいた種が25年後に再び芽を出し、アフリカ系米国人として初めて大統領になった男をさいなんだのだ。感染症作戦の要だった一つのデマが40年後も息づいているならば、インフォカリプスの中でニセ情報がどれほどの大混乱を引き起こすか想像してほしい。さらにディープフェイクが加わったら目も当てられない。

ラフタ計画

インフォカリプスは、冷戦時代からのロシアのお家芸を後押しした。ここ10年の間に、ウクライナへの侵略、マレーシア航空17便の撃墜、EUの難民危機を通じて、私はロシアの策略を逐一目にしてきた。しかしそんな私でも、2016年に起きた衝撃的な出来事には度肝を抜かれた。激しい論争が展開された米国の大統領選の最中に、民主主義に対する組織的かつ直接的な攻撃を仕掛けるという、これまでに類を見ない厚かましい作戦を実行したのだ。一つのデマを拡散して米国に打撃を与えるのとは、別次元の攻撃だった。そしてヨーロッパのときと同じように、ロシアは平然と関与を否定した。この出来事は、ロシアの関与を強く主張する側と、ロシアの脅威を否定する側の対立という、党派的な政治問題に発展した。まさに、ロシア政府の思うつぼだった。さすがのロシアも、途方もない計画がここまで成功するとは思っていなかったのではないだろうか。インフォカリプスが作戦の遂行を極めて容易にしたのだ。

ロシア政府が攻撃を仕掛けたことは、議論の余地のない事実だ。党派がどうという問題ではない。米国のすべての情報機関によって証明されている。2017年にCIAとFBI（連邦捜査局）、NSA（国家安全保障局）、国家情報長官室が以下の内容の共同声明を発表した。

ロシアによる2016年の大統領選への干渉は、米国の自由民主主義の秩序を崩壊させようと長年目論んでいるロシア政府の新たな攻撃だが、露骨さ、活動の水準、活動の範囲において、これまでのロシアの計略とは別格だ。[3]

声明では、攻撃がウラジーミル・プーチンの直接の許可のもとに行われたこと、ヒラリー・クリントンよりもドナルド・トランプが大統領になる方が彼にとって都合が良かったことが付け加えられた。「我々はこの判断に非常に自信を持っている」[4]と胸を張る。

ロシアが行った攻撃は、現代の情報のエコシステムに特徴的な高度なテクノロジーがなければ実現不可能だった。攻撃は次の3項目で構成されていた。

1　投票システムのハッキング

2　民主党全国委員会（ＤＮＣ）とヒラリー・クリントン陣営を標的にしたハッキング

3　ソーシャルメディアでインターネット・リサーチ・エージェンシー（ＩＲＡ）によるニセ情報作戦を展開し、米国市民を混乱に陥れて分断すること

インフォカリプスにおいて、ロシアのニセ情報作戦が一段と強力に作用するということを示すため、ここではＩＲＡが実行した三つ目の戦略に焦点を当てる。「はじめに」で述べたように、ＩＲＡは２０１３年に設立され、２０１４年のウクライナ侵攻の際に最初の任務を遂行した。ＩＲＡによる２０１６年の作戦は、米国でラフタ計画と呼ばれている。感染症作戦と同じように、ラフタ計画の目的も情報操作によって米国を弱体化させるこ

とだった。１９８３年の感染症作戦は、一つのデマを中心に展開されたが、ラフタ計画はもっと大掛かりだ。ＩＲＡの任務は米国人を装ってソーシャルメディアの米国人のグループに潜入し、不和や対立、分断、ニセ情報の種をまき散らしてかく乱することだった。フェイスブック、ツイッター、インスタグラムといったソーシャルメディアのプラットフォームが利用された。戦略は長期にわたっていた。特別検察官ロバート・モラーの後の捜査の結果によると、ＩＲＡは大統領選の３年前である２０１３年から米国で活動を始めていた。[5] ２０１４年の半ばには「情報収集のために」ＩＲＡの課報員が実際に米国を訪れ、「ソーシャルメディアの投稿で用いる情報や写真を入手した」。[6]

次にＩＲＡの諜報員は本拠地であるサンクトペテルブルクで作業を行い、本物の米国人のものに見えるように、ニセのページ、コミュニティー、プロフィールを作成した。それから少人数の諜報員のチームで、米国人の意見交換の場をかく乱する長期計画に着手したのだ。感染症作戦と異なり、既存の分断を深めるだけでなく、積極的に新しい分断を生み出そうという計画だった。目を付けたのは、アイデンティティー・ポリティクスと呼ばれる、差別を受けている特定の属性を持つ集団が社会的地位の向上を目指す政治活動だ。作戦は二段階に分けて実行された。第一段階では、特定の属性を持つ人々の集まりを装ったニセのオンラインコミュニティーを立ち上げる。そしてそのコミュニティーに前向きなメッセージを投稿し、自らの属性に誇りを持たせる。これによって連帯感やグループとしてのアイデンティティーを強めることができる。そして「同族意識」が確立されると、属性の異なるグループに関する否定的なメッセージを投稿し、疎外感を植え付けるのだ。

IRAはあらゆる政治的分断を利用した。左派ではLGBTQ（性的マイノリティー）とともに今回もアフリカ系米国人のコミュニティーを翻弄した。右派では、テキサス分離独立派と銃所有者団体を惑わせた。ちまたでは、「愚かなトランプ支持者」だけがだまされたという話になっているが、実際には誰もがだまされていた。モラーの報告書には、この戦略についての詳細が記されている。

2016年の選挙戦の間、さまざまな政治問題を網羅したIRAのフェイスブックグループが運営されていた。保守派を装ったグループ（「愛国主義」、「全移民廃止」、「安全な国境」、「茶会ニュース」など）や社会正義を守る黒人を装ったグループ（「ブラックマターズ」、「ブラックティビスト」、「私たちを撃たないで」)、LGBTQを装ったグループ(「LGBTユナイテッド」)、そして宗教団体を装ったグループ(「ユナイテッド・ムスリム・オブ・アメリカ」)などがあった。[7]

同族意識をあおることで、IRAは米国の弱点を突いた。自由で開かれた民主主義を利用して、社会の分断を引き起こしたのだ。米国国防総省が指摘した通り、ロシアの戦術は、「標的にされた国の分極化が進んでいる場合や、ロシアの攻撃に対して抵抗する力がなく効果的な対応が取れない場合に、最も効果を発揮」する。[8]ロシアは米国を分断させて内部から崩壊させることで機能不全に陥らせようとしていながら、何食わぬ顔をしている。

IRAは、米国市民をいとも簡単にソーシャルメディアのニセのコミュニティーに引き込んだ。主要なソーシャルメディアは、人口統計や支持政党といった個人データに基づき、最適な対象に広告を配信する有料サービスを提供しており、IRAはそれを利用して、どんぴしゃりのターゲットにコンテンツを宣伝することができたのだ。また、有機的に拡散していくような人気コンテンツの作成も試みた。

民主党が多数派の米国下院情報委員会は、2015年から2017年にフェイスブックに載ったIRAのニセ広告を公表した。すさまじい数だった。フェイスブックだけで3393件もの有料広告が出され、1140万人の米国人が目にした。470のフェイスブックページが作成され、組織的に広まるような8万件のコンテンツを、1億2600万人もの米国人が目にした。[9]

IRAが作成したフェイスブックのグループ「ブラックマターズ」を例に取ってみよう。名前の通り、アフリカ系米国人をターゲットにしており、いかにも2013年に立ち上げられたブラック・ライブズ・マター（BLM）と関係がありそうだ。BLMは、警官によるアフリカ系米国人の殺害をはじめとする、黒人の米国人が受けてきた暴力と人種差別に抗議する活動を行うグループだ。IRAの「ブラックマターズ」のページの有料広告は、しっかりとツボを押さえている。「あなたのことを大切に思っている私たちのグループに参加しよう。黒人は大切だ！」というキャッチコピーで、ブラックマターズのページに「いいね」をするように呼び掛けている。広告には、「決して忘れるな（NEVER FORGET）」の文字と共に、若い3人のアフリカ系米国人マイケル・ブラウン、タミル・ライス、フレディ・グレイの写真を掲載している。3人とも警官に射殺されたり、取り押さえられて命を落としたりした犠牲者だ。ライスはまだ12歳だった。おもちゃの銃で遊んでいたところ、通報で駆け付けた警察官にその場で撃たれた。こうしてIRAは強い同族意識を巧みに利用し、心理作戦を着々と進めていった。感染症作戦の時と同じように、黒人のコミュニティーを集中的に狙った。米国では政治的にも社会的にも、人種は非常にデリケートな問題だからだ。IRAには、黒人の民主党支持者がヒラリー・クリントンに投票しないように仕向ける意図もあった。選挙が近づくと、IRAはニセのグループに、ヒラリー・クリントンは黒人のことを気に掛けていないので、トランプとクリントンの選挙戦に黒人は加わるべきではないなどといったデマを次々投稿した。ラフタ計画のコンテンツはドナルド・トランプを支持する内容ばかりではなかった。左派の有権者も取り込むため、バーニー・サンダースを支持するコンテンツも作成した。いずれも例外なく、反ヒラリー・クリントンだという点では一貫していた。

IRAは保守派の有権者も標的にした。ブラック・ライブズ・マターは米国では名の通った団体ではあるが、誰もがその活動に賛同しているわけではなかった。例えば、警察官を支援するブルー・ライブズ・マターなど、対抗する運動も起きていた。保守派の白人をターゲットにしたニセのコミュニティー「愛国主義」のページの有料広告には、ブルー・ライブズ・マターのコンテンツを載せ、「いいね」をするように促していた。広告には警察官の葬儀の写真が載っており、その上にはブラック・ライブズ・マターの活動家が「またむごたらしい襲撃事件を起こした」と非難する言葉が記されていた。さらに、ヒラリー・クリントンは「警察官に対する強硬主義者の親玉」で、ドナルド・トランプは「警官をテロリストから守ることのできる唯一の人物」と記されていた。[10]

またIRAは、ソーシャルメディアを活用すれば、サンクトペテルブルクにいる諜報員が企画や宣伝を行った実際の政治集会に、米国人を出席させることも可能だと気づいた。モラーの報告書にその方法が記されている。

（IRAの諜報員は）ソーシャルメディアのアカウントのフォロワーに大量のプライベートメッセージを送り、集会への参加を呼び掛けた。出席すると答えた人々の中から、一人の米国人をイベントの取りまとめ役として選出した。アカウントを管理する諜報員は、取りまとめ役の米国人に、先約がある、あるいは米国の他の場所にいるといった理由で出席できないと伝えた。さらに、米国のメディアと接触してイベントの開催を伝え、取りまとめ役と話をするように指示してイベントを進めた。イベントが終了すると、ソーシャルメディアのアカウントに集会の動画や写真を投稿した。[11]

選挙が近づくと、そういった集会に米国人を呼ぶことにますます力を入れた。あろうことか、トランプ陣営は、ＩＲＡが企画したイベントをニセモノだと気づかずにトランプのフェイスブックに載せるという失態を演じた。[12] だがなんとＩＲＡは選挙が終わると反トランプ集会の運営にも乗り出したのだ。その一つはＩＲＡが作った「ブラックマターズ」のページで呼び掛けられたもので、マンハッタンのユニオンスクエアに５０００人から１万人の抗議者が集まった。怒れる民衆は、トランプの勝利に抗議の声を上げながら、トランプタワーまで行進した。２０１６年のトランプの勝利から、４日後のことだった。[13] 集会を知らせるフェイスブックのイベントページには、「通りに集結しよう！　トランプと偏見に満ちた政策を阻止しよう！」という呼び掛けとともに、「我々が負けたのは、分断のせいだ。我々は違いを乗り越え、憎しみが全米を支配するのを止めるために、団結しなくてはならない」と記されていた。[14] そもそもロシアが分断を生じさせようとしていたのに、開いた口が塞がらない。

IRAの諜報員は何が効果的に情報を拡散させるか検証を重ね、ラフタ計画は年々進化を続けた。ニセ情報に関する研究の第一人者であるスタンフォード・インターネット観測所のレニー・ディレスタは、その一例を説明する。IRAの「アーミー・オブ・ジーザス」のページは、もともと子供向けテレビ番組『セサミストリート』のカエルのカーミットを主役にしていたが、その後、テレビアニメ『ザ・シンプソンズ』のページに変わった。手当たり次第に試してみたIRAは、一番説得力のある広告塔はイエスだという結論に至った。「イエスに『いいね』しよう」とか「イエスのためにシェアしよう」という広告を出すと、そのページのコンテンツが急速に拡散されたのだ。レニーは「アーミー・オブ・ジーザス」のページが、「選挙が近づくにつれ、強力な反ヒラリーネタの生産工場となった」と言う。[15] 投票日にこのページが出した広告の一つに、イエスがサタンと腕相撲をしている画像があり、「サタン：もし私が勝てばクリントンが勝つ！」、「イエス：そうはさせない！」、「イエスが勝つように『いいね』しよう」[16]と大きな文字で書かれていた。そして次の文章が添えられていた。

米国人は今、敬虔《けいけん》な倫理基準に従って大統領を選ぶことができる。ヒラリーはサタンであり、彼女の罪と嘘が、その凶悪さを証明した。ドナルド・トランプは決して聖人ではないが、少なくとも正直で祖国のことを非常に大切に思っている。私の票は彼に入れる[17]！

ＩＲＡはこういった「ミーム」が簡単に拡散されたことから、効果があったと判断した。ミームというのは、インターネットで拡散される面白ネタといった意味で今は使われているが、もともとは英国の生物学者リチャード・ドーキンスが、世代間でどのように文化が受け継がれていくかを記した著書『利己的な遺伝子』（１９７６年）の中で使った言葉だ。ドーキンスはミームをアイデアの伝播を通じて広がる文化の単位と定義する。ミームはオンライン上で非常に効果的なコミュニケーションの手段となる。一見無害なため、作成者の意図と切り離され、独り歩きを始める。どれほど憎しみや、反社会的な内容が含まれていようと、誰もその責任を負わないということだ。IRAによる世論操作作戦が確立された今、ミームは情報戦の武器にされる可能性がある。2019年、メディアの改ざんとニセ情報について研究するハーバード大学のジョーン・ドノバン教授は、科学技術誌『MITテクノロジーレビュー』で、ミームは「デマの拡散や心理操作を、国際的なスケールで簡単に成功させる手段として有効だ」と述べ、ミームによる戦争が「今、政治の世界で継続的に起き」ており、「世界中の政府、選挙の候補者、活動家」がミームを用いていると解説している。[18]

また、IRAはソーシャルメディアを使って、米国に対する攻撃の下地作りをしていた。例えば、民主党全国委員会とクリントン陣営をハッキングし、Eメールをハッカー集団ウィキリークスに漏らす準備をした上で、ウィキリークスと創始者ジュリアン・アサンジについて、真実を語る英雄などといった肯定的なメッセージをソーシャルメディアに次々と投稿したのだ。数日後に一連のEメールが公になったときに、米国人がその内容を真実だと思いやすくなるという寸法だ。

2016年に米国の選挙にロシアが介入していたことが公になると、ロシア政府は平然とそれを否定した。その一方でIRAはソーシャルメディアを利用した作戦を続行していた。ロシアが介入したと主張する米国を茶化すようなことまで始めたのだ。バラク・オバマ大統領の画像を用いたミームを拡散して嘲った。オバマ大統領の周りには、アラブ風のひげを生やした男たちが立っている。オバマが、ムスリム・同胞団というエジプトで設立された多国籍のスンニ派イスラム教徒の組織と共謀しているという陰謀説を利用したものだ。大文字で「マスコミは、ありもしないトランプとロシアの結びつきを騒ぎ立てるなら、オバマとムスリム同胞団の結び付きも騒ぎ立てれば良かったのに」と書かれている。そして「同意するならシェアしよう」と促している。米国の政治の舞台で絶大な力を持つ報道機関に対して広がる不信感を、うまく利用したミームだ。マスコミは思い込みが強く、オバマとムスリム同胞団が結び付いているという噂は一蹴したのに、トランプとロシアの「ありもしない結びつき」は本当だと決めつけているという意味が込められている。

IRAの作戦は2017年になっても続いていた。選挙から数カ月後、ようやくロシアの介入が米国で大きな政治問題となり、IRAのネットワークが一掃され、閉鎖された。ニセ情報について調べるオックスフォード大学の研究者たちは、IRAの具体的な戦略に関する最初の報告書で次のように述べている。

驚くことに、これらの活動はロシアのＩＲＡが２０１６年の選挙に介入していることが明るみに出た後も、すぐにはやまなかった。関与の度合いは強まり、社会秩序、国家の安全保障、そして若い有権者が関心を持つ問題（中略）など広範囲に及んだ。選挙後、インスタグラムやフェイスブックへのＩＲＡの投稿は着実に増加し、特にインスタグラムではＩＲＡの活動が最高潮に達していた。[19]

ＩＲＡの作戦が選挙そのものに与えた影響を数値化することは難しく、トランプの勝利が完全に「ロシアの介入」によるものだとする確かな根拠はない。トランプの勝利はすべてロシアの介入のせいだというのは、米国民がなぜトランプのようなポピュリストを大統領に選び、再び選ぶ可能性もあるのかという疑問から目をそらすための、都合の良い言い逃れにすぎない。それでも、ロシアの陰謀説はでたらめで無意味だと言って見過ごすことも、やはり間違っている。まさにインフォカリプスの状態を悪者が利用した良い例であり、ディープフェイクのような新しい発明品がもっと普及すれば、こういったことはますます増えるだろう。

二重詐欺作戦

2020年の大統領選挙戦に先立ち、ロシアはもっと足が付きにくい新しい方法で米国を攻撃しようと動いていた。ロシア政府の戦術の進化を知る手掛かりがいくつかある。2020年3月12日、CNN、ツイッター、フェイスブック、そしてソーシャルメディアの分析を手掛ける米国企業グラフィカ[20]は、「二重詐欺作戦」が行われていたと発表した。ラフタ計画と同じように、複数のソーシャルメディアのプラットフォームを利用して世論に影響を与える作戦だった。発見されたとき二重詐欺作戦のネットワークは、誕生からまだ9カ月で、かなり小規模だった。フォロワー数1万3500人の69のフェイスブックページ、フォロワー数26万3000人の85のインスタグラムアカウント、フォロワー数6万8500人の71のツイッターアカウントで構成されていた。

ラフタ作戦はサンクトペテルブルクにいるIRAの諜報員が実務を遂行していたが、

2020年の作戦ではガーナに仕事をアウトソーシングし、アフリカの非政府組織（NGO）を隠れみのにしていた。このニセのNGOには、「アフリカ解放の障壁撤廃」（EBLA）という名称が付けられ、ホームページやオフィスがあり、従業員もいた。すでに削除されているが、EBLAのニセのホームページには、「ニューメディア（NM）を用いて支援運動を行うサイバー活動方式によって、日々の人権侵害の話題やニュースを共有することで、アフリカ内外における人権問題の意識を高める」という意味不明の活動目的が掲げられていた。[21]

EBLAのホームページは、一見、真正なウェブサイトのようだった。多くの「プロジェクト」の説明があり、「寄付する」という大きなボタンもある。しかしちょっと気をつけて見ると、そんな体裁はあっという間にニセモノだとわかる。寄付ボタンは機能しないし、文章にはラテン語が混在していた。また、2315億3000万ドルの資金を集めたと記されているプロジェクトもあった。ガーナの年間GDP（国内総生産）の3倍以上だ。

EBLAの従業員はスマートフォンを渡され、ソーシャルメディアにコンテンツを投稿するように指示されていた。米国の昼間の時間帯に当たるよう、ガーナの現地時間で午後遅くから夜間に投稿する決まりだった。ＥＢＬＡの従業員は、米国人をターゲットにしていると容易に推定できたが、いつの間にかＩＲＡの手先にされているとは思いもよらなかった。米国人をだまし、ガーナ人の従業員もだますというこの策略を、グラフィカは「二重詐欺作戦」と名付けた。この分析会社は次のように報告している。

ＥＢＬＡの従業員が、この作戦の目的と作戦にかかわっていた人々のことをどれだけ知っていたのかは確かではない（中略）。ＥＢＬＡのマネージャーは、偽名で自己紹介し、スタッフにインターネット上での活動が仕事の内容だと説明した。ＣＮＮのインタビューを受けたＥＢＬＡの従業員は、ロシアの手先として働いていたとは「夢にも思っていなかった」と話している。[22]

ロシアが作戦のためという目的を隠して従業員を募集したのは初めてのことではなかった。インフォカリプスの中でロシア政府はこの〝わざ〟を磨いてきた。ラフタ計画では米国人を雇い、IRAのイベントの運営、宣伝を行わせ、出席させた。今度はガーナ人を雇って米国を攻撃させている。

二重詐欺作戦で狙いを付けたのは、またもや人種問題という米国最大の弱点だ。EBLAの従業員は、ラフタ作戦のときと同じ戦略を用いるよう指導された。まず、アフリカ系米国人を勧誘してインターネット上のグループに参加させ、肯定的なメッセージを投稿して、黒人という属性にプライドを持たせる。次にそのグループにネガティブなメッセージを送って怒りと孤立感を覚えさせ、グループ以外の社会から孤立させる。投稿には、黒人のプライド、美、伝統といった肯定的で気持ちを高揚させる内容と、人種差別、抑圧、警官の暴力といった否定的で分断を招く内容が混在していた。[23] EBLAの従業員は、IRAの諜報員が数年前にやっていたように、何が繰り返し閲覧され、拡散されるのかを知るために、いろいろなコンテンツを試すことが奨励された。また、共有されたネタや画像のストックを参考にすることができた。その多くは、2016年にIRAが集めた情報の使い回しだった。[24]

ラフタ計画は暴露され終止符が打たれたが、二重詐欺作戦が行われていたということは、ロシアがインフォカリプスを利用する新たな方法を探っているということだ。ラフタ作戦のときとは違い、実在するアフリカの人々を利用することで、盗用した画像に偽名を付けて架空の人物を作り上げる必要はなくなった。

二重詐欺作戦では、米国人を装っているページやコミュニティーと、ガーナで公開されているページを混在させている。従業員たちの本物のプロフィールも載せている。コンテンツの中に、ある程度の真実も取り入れることで、一層混乱を深める戦略なのだ。そうしてＩＲＡが陰で仕切っているということをわかりにくくしている。

高まるニセ情報作戦の効果

ニセ情報を使うというロシアのやり口は終始一貫しているが、インフォカリプスによってその効果はどんどん高まっている。例えば、当時としては大成功だった感染症作戦をラフタ作戦と比べてみよう。感染症作戦が世界に波及し80カ国の新聞に印刷されるほどの勢いを得るまでには、10年近くかかっている。このソ連の作り話を見聞きした人の数は、数十万に上る。その影響は、数十年たっても薄れることはなく、それどころか広がり続けた。

現在でも数百万人が、エイズは人工のウイルスだというデマを信じている。

ラフタ計画は、他国の印刷されたメディアを使って一つの嘘を広めるのとは、段違いの規模で進められた。インターネット、ソーシャルメディア、スマートフォンを駆使することで、IRAは米国人のグループの交流に直接潜入し、即座にいくつものデマをばらまくことができるようになった。米国社会の既存の分断を利用するだけでなく、米国社会のDNAの中に新たな分断を作って計画を推し進めた。2010年代には、ラフタ計画でIRAが流した複数の嘘が、数時間から数日のうちにソーシャルメディアで拡散されるようになった。感染症作戦のニセ情報を見聞きしたのは数十万人だったのに対し、ラフタ計画では「数千万人」もの米国人がニセ情報にさらされた。[25] 感染症作戦の後遺症は、今でも米国に暗い影を落としている。同様に、ラフタ計画におけるIRAの活動の影響も拡大し続けるだろう。

米国の人種問題による分断の根深さを考えると、そこを狙うというロシアの常とう手段は、卑劣極まりない。インフォカリプスの中では、人種問題にかかわる緊張は、あっという間に手に負えない事態に発展する。不安が高まっている時代には、誤情報やニセ情報は脅威であり、ディープフェイクはさらに大きな脅威となり得る。投稿するタイミングと拡散させるコツさえつかんでいれば、例えば人種間の憎悪をあおるようなディープフェイク動画を使って、あっという間に大混乱を引き起こすこともできる。

最近の米国に対するロシアの攻撃は、分断を引き起こし、被害妄想を植え付け、すでに緊張状態にある国家を崖っぷちに導いていく。冷戦時代、米国は一枚岩でソ連に対抗していたが、もはやそうではない。ユーリ・ベズメノフの言葉を思い出してほしい。これらの攻撃の目的は「すべての米国人の現実に対する認識を変化させ、誰一人、自分自身、家族、地域社会、そして祖国を守るために分別のある結論を出せなくすることだ」。ロシアの作戦は功を奏している。

インフォカリプスの中でロシア政府はますます大胆な戦略を仕掛けているが、米国の情報機関と軍は、まだ十分な対抗手段を準備できていないという。米国国防総省の白書は、「ロシアの侵攻の範囲に関する米国の見方はまだ甘く、ロシアは宣伝活動とニセ情報によってヨーロッパ、中央アジア、アフリカ、中南米の世論を操作しようとしている」[26]と結論づけた。しかし、第３章で述べるように、米国内では政党間の分断があまりにひどく、ロシアが干渉しているという客観的な事実についてさえ合意できていない。干渉の経緯や対処方法などを議論できるような状況ではないのだ。

「ロシアによる干渉」の有無自体、政治的な議論の中では対立があり、党派によって意見が分かれる。民主党側は、選挙活動中にトランプ陣営がロシア政府と癒着していたという考えに執着しており、大統領を確実に弾劾する方法を模索している。モラー特別検察官が捜査の最終報告で、トランプ陣営がロシア政府と違法な共謀をしたということを、合理的な疑いを残さずに証明するに足る証拠はないと結論づけると、トランプはロシアとの「癒着」と司法妨害に関して、モラー氏が潔白を証明したと宣言した。モラーにそのような意図はまったくなかった。後に議会で、「法律用語ではない『癒着』という言葉を我々は使っていない。陣営の構成員が違法な陰謀にかかわったことを示す十分な証拠があるかどうかに焦点を当てた。その証拠はなかったということだ」と証言している。[27] 慎重に言葉を選び、違法な陰謀には当たらないとしても、大統領の間違った行為について潔白を証明しているのではないと指摘したのだ。しかしこれは、民主党員が求めている確固たる証拠ではなかった。その後、民主党は別件を理由に、失敗を承知で政治的色彩が濃厚な弾劾手続きをしつこく続けた。

一方、国家の安全に関する防衛の最前線であるはずの米国の大統領は、ロシアの攻撃について真剣に取り組むことを拒否した。それどころか、トランプは過去４年間にわたり、「ロシア疑惑」は、自分が大統領であることを非正当化するための陰謀だと力説してきた。そして米国の情報機関を含め、トランプに反論するあらゆる人や機関を相手どって戦い始めたのだ。米国の情報機関の幹部にとって、最高司令官である大統領に愚弄されるというのは、耐えがたいことだっただろう。大阪で開かれた２０１９年のＧ20サミットで、トランプはあてつけがましく、笑みを浮かべるウラジーミル・プーチンに「選挙に介入するなよ」と言い放った。[28] プーチンは腹の中で笑っていたことだろう。

世界に広まるニセ情報の利用

ロシアに感化されている国々もある。ロシアが作戦に成功し、まんまと逃げきれば、そういった国々を後押しすることになるだろう。米国と西側の同盟国は、インフォカリプスに直面して、弱体化し、機能停止に陥っているようだ。米国国防総省は、中国をはじめとする国々が、米国やヨーロッパに対する攻撃というロシアの戦略を好意的に見ていることに気づいた。「米国を中心とする国際的な同盟に脅威を感じているという点と、権威の安定を非常に重視しているという点で共通する国々」が連携を強めているのだ。[29]

他の無法国家や独裁国家がインフォカリプスにおけるロシアの行動をどのように解釈し、模倣しようとしているかをよく知るため、私は情報戦の地政学についてレニー・ディレスタに話を聞いた。レニーは、その分野においてはまだロシアが主役だと話す。その理由の一つは、ロシアが腰を据えて取り組んできたことにあるという。ロシア政府には、「数年、数十年とかけて」作戦の下地を作る覚悟がある。中国について質問すると、中国政府は他国に対する作戦に関してはロシアほど長けていないが、同じような「長期戦を国内では行っている」と話してくれた。今のところ、中国は「主に自国民を対象」にインフォカリプスをうまく利用し、国内のインターネットの環境を国が管理しているため大成功を収めているという。中国政府は、ウェイボー、ウィーチャット、キューキュー（QQ）といったソーシャルメディアのプラットフォーム上で、十数億人もの自国民を監視し、管理しているのだ。しかし中国は次第に、国境の外側にも目を向け始めた。オックスフォード大学の研究者たちは、2019年夏の香港の抗議運動が転換点だったことに気づいた。中国は「民主主義への関心を高めなくてはならない」という表現を使い、フェイスブック、ツイッター、ユーチューブといった西側のプラットフォームへの潜入に、新たな意欲を燃やしている。[30]

レニーからツイッター上で中国が行っていた策略の話を聞いて、まだロシアの方が数段上だということがわかった。香港の抗議活動が起きていたときに、レニーは中国側に味方するツイッターのアカウントを発見したが、それは既存のアカウントを乗っ取って作った「ずさんななりすましアカウント」だったという。乗っ取られたニセアカウントだということを隠す手間さえ惜しみ、過去の投稿が残ったままになっていたのだ。ツイートを遡ってみると、「アリアナ・グランデについてツイートしていたのに、突然中国語に変わり、香港の政治について熱く語り始める」のだとレニーは笑った。だが中国政府がいつまでもこんな下手なことをやっているわけはない。第6章で取り上げるが、新型コロナウイルス感染症が原因で国際的な立場が揺らいだ中国は、インフォカリプスの上手な利用方法を速やかに学んでいる。

インフォカリプスの混乱を利用しようとしているのは、中国とロシアだけではない。他にも、イラン、サウジアラビア、アラブ首長国連邦、北朝鮮といった国々が後に続いているという話をレニーとした。オックスフォード大学の研究者たちは、2017年には28カ国が何らかの形でインターネット上のニセ情報作戦を行っていた証拠を見つけたという。2020年には70カ国まで増えている。インフォカリプスの中では、これらの国々も深刻な脅威ではあるが、現時点ではロシア政府と他の国々の手腕には桁違いの差がある。2019年のプリンストン大学の研究によると、2013年から2019年の間に行われた他国に対するニセ情報作戦の72パーセントはロシアによるものだった。[31] ロシアの攻撃は、他の国々による攻撃の合計の3倍近くに上る。ロシアが楽譜を見ずにチャイコフスキーのソナタをグランドピアノで演奏している巨匠だとすると、他の国々はおもちゃのピアノで「きらきら星」を弾いているようなものなのだ。

第3章
米国が占う西側諸国の未来

ドナルド・トランプ大統領が記者会見に臨んでいる。米国は、世界各国と同じように、新型コロナウイルス感染症（Covid－19）により、第二次世界大戦以来の深刻な危機にあえいでいる。何十億もの人々が都市封鎖の状況下におかれ、ウイルスの拡散を防ぐためにソーシャルディスタンスを取るように求められている。そして世界経済が危機に瀕する中、ワクチン開発を進める科学者たちが時間との戦いを強いられている。そんな中、「自由主義世界のリーダー」である大統領が、新型コロナウイルスに有効な治療法について問われている場面だ。公衆衛生の専門家で、新型コロナウイルス感染症特別対策本部のアドバイザーのデボラ・L・バークス博士が同席している。トランプはバークスをちらりと見て話し始めた。「紫外線か非常に強い光を体に大量に当ててみるのはどうだろう」。そしてバークスに向かって、「まだ試してはいないがやってみると言いましたよね」と話しかけると、くるりと記者の方に向き直った。「それから、この目で見たが、消毒液もあっという間にウイルスをやっつける。たった1分だ。ならば消毒液を注射するとか、一掃するようなやり方があるんじゃないだろうか」。彼は素早くバークスに目をやった。そして自分の頭を指さし、「医者でなくても、私は良いことを思いつくんだ」と続けた。

これはフィクションではない。2020年の米国で実際にあったことだ。大統領が記者会見で、「消毒液を注射すれば」、今世紀の世界を未曾有の危機に追い込んでいる感染症を治せると述べたのだ。だがトランプのこういった言動にはもう驚かない。むしろよくあることだ。トランプ政権の場合、こんなことは日常茶飯事なのだ。自由主義世界のリーダーが堂々と世界に向けて、明らかな嘘やデマなど有害な情報を発信しているのだ。嘘をついたり、誤解を招く発言をしたりする政治家は多いが、トランプの場合は、党派に関係なく誰がどう見ても度を越えている。自由民主主義の根幹にある、客観性、理性、真実を重んじる西洋の啓蒙思想を拒絶する彼の姿勢は、インフォカリプスにおいてとりわけ危険だ。

いったいどうして、こんな人物が大統領になってしまったのだろうか。

米国の行方と西側諸国の未来

西側諸国では、ニセ情報や誤情報による情報操作と言えば、ロシアのような国による外国からの攻撃が話題になることが多い。しかし情報に関する深刻な脅威は、内部にも潜んでいる。この内なる脅威は次第に影響力を増しており、やがて大きな問題として顕在化するだろう。その最も象徴的な出来事が、インフォカリプスの権化とも言えるドナルド・トランプがホワイトハウスに君臨するようになったことだ。

ポピュリストのトランプは、何年も西側諸国を悩ませている政治と国家機関の信用の危機を利用して、権力を手に入れた。ヨーロッパでもここ10年、これと同じような現象が起きるのを私は目の当たりにしてきた。西側諸国におけるポピュリズムの再興と自由民主主義への潜在的な影響についてはいろいろと語られているが、ここでは触れないことにする。私が特に興味を抱いているのはこの現象の一つの側面であり、ひどくなる一方の情報のエコシステムの腐食を、ポピュリストのリーダーがどのように慢性化させ、持続させるのか、そしてその結果、西洋の政治制度と社会がもはや対処できない「転換点」を迎えてしまうのかどうかということだ。もし私たちが共有している現実の感覚が崩壊して、終わりの見えない国内の情報戦に突入しても、活発な政治議論や社会の進歩は可能だろうか。

ドナルド・トランプの大統領就任は、この疑問の答えを模索する出発点としてはちょうどいい。この新しい情報のエコシステムの中では、ポピュリストの大統領による政策の展開の仕方しだいで、米国が後戻りできない転換点に近づくように思える。すでにいくつかの兆候が表れている。第一に、彼は信用の危機を悪化させている。第二に、情報のエコシステムを支配し、絶大な影響力を駆使して、チープフェイクやディープフェイクを含む有害な情報を大量に流している。そして第三に、党派による二極化を積極的にあおり、共通の考えを見出そうという人々の意欲を減退させている。そんな米国が近年、社会不安に取りつかれているのは決して偶然ではない。

トランプは、インフォカリプスを悪化させる役者の一人にすぎないが、今後の方向性を大きく左右する存在であるため、彼に焦点を絞ることにする。結局のところ、米国は他の西側諸国の未来を占う存在だ。大統領自身が体現している国内の情報の危機に、米国がどう対応するか（もしくは対応に失敗するか）は、西側諸国の今後を方向づけるだろう。

失われる政治への信頼

不条理を描くコメディー『ザ・シンプソンズ』は、ドナルド・トランプの大統領就任を予言していた。大半の人は実生活でそんなことが起こるとは夢にも思わなかったが、ある日突然、現実となったのだ。しかし彼の勝利は決して一度限りの偶然ではない。ディープフェイクが何もないところから湧いて出たわけではないように、トランプの出現にも理由がある。2016年にトランプが大統領に選出された一因は、ここ20年、西側諸国で高まり続ける政治への不信感だ。大西洋の対岸でブレグジットをはじめとするヨーロッパの政治問題に関する仕事をしてきた私は、政治制度はもはや自分たちのためになっていないという思いを有権者が募らせていくのを見てきた。米国民は、投票によって現状の政治の在り方を拒絶したのだ。

西側の民主主義国家における政治不信は、一つの大きな原因で起こったのではなく、2008年の金融危機、グローバル化、移民、テクノロジーの進歩、インフォカリプスなど複合的な要因が絡んで起きたものだ。左派から右派まで政治的な立場に関係なく、あらゆる人々が強い疎外感を覚え、それがほとんど例外なく、権力組織、エリート、報道機関といった民主主義世界の政権や政府機関の象徴的存在に対する怒りとして現れた。

インフォカリプスの出現に伴い、過去10年間に加速した政治不信に関する研究報告がいくつかある。代表的な米国の非政府組織フリーダム・ハウスの報告書「世界における自由」を見てみよう。2020年版の報告書では、米国をはじめとする西側諸国を含め、世界の民主主義が後退し始めてから、14年目になったことが記されている。報告書は次の文で始まる。

民主主義と社会的多元性が攻撃にさらされている。独裁者たちは、国内の反対派を徹底的に弾圧し、世界中の新しい場所に有害な影響力を広げようとしている。それと同時に、自由選挙で選ばれたリーダーたちが劇的に視野を狭め、国家の利益について偏狭な解釈を行っている。[1]

2018年に、世論と消費者の調査を行うダリア・リサーチという企業を手伝い、「民主主義に関する認識の指標」を作成していたとき、私は市民がいかに政治に幻滅しているかを突きつけられた。私たちはこの信用の危機を数値化しようと試み、そのための大規模な調査を行った。世界50カ国の12万5000人近くを対象に調査を行い、政治システムが自分たちのためになっていると感じているかを評価するための一連の質問をした。結果は厳しいものだった。民主主義国家に暮らす人々の64パーセント、すなわち3分の2近くが、政府が国民のために動いていることはめったにない、またはまったくないと感じていたのだ。非民主主義国家で同じように感じている人の割合41パーセントを20ポイント以上も上回っていた。米国では66パーセント、英国では65パーセントと平均よりも高く、フランスとドイツでは64パーセントだった。[2]

西側の世界で顕著になってきた政治不信は、トランプに有利に働いた。トランプが大統領選に立候補すると、彼を支持しない有権者は、堂々と目に余る嘘をつくことを主な理由に、大統領の器ではないと嘲笑《ちょうしょう》した。トランプは、バラク・オバマ大統領が本当は米国市民として生まれたのではないという、バーセリズムを熱心に唱えていたのだ。[3] そして気候変動は「中国が得をする」ための「真っ赤なウソ」だと言い、共和党上院議員テッド・クルーズの父親がジョン・F・ケネディの暗殺に何らかの形でかかわっていたかもしれないとほのめかしていた。そんなトランプが勝利したことに、反対派は驚愕《きょうがく》した。トランプ支持者が、嘘に気づかないほど「ばかだった」ということではない。多くの人は彼が嘘をついていることを知っている。２０１８年のある調査では、トランプの明らかな嘘を信じている人は、米国で10人中3人以下、共和党内でも10人中4人以下だった。[4] ドイツ系米国人の哲学者ハンナ・アーレントによると、すでに世の中は偽りだらけだと人々が考えている状況では、リーダーが嘘をついても構わないという心理が働くのだという。政府に見捨てられていると強く感じている米国市民にとって、トランプは「正当な理由で嘘をついている」あるいは「自分たちのために嘘をついている」と感じるのかもしれない。全員が偽善者なら、真実にこだわってもしょうがないのだ。

当選してからも、トランプは国民の不信感を払拭するために態度を変えるようなことはなかった。とにかく積極的に誤情報やニセ情報をまき散らして、米国の政治議論にますます悪影響を及ぼした。客観的に見て、トランプは嘘つきマシーンだ。『ワシントン・ポスト』紙のデータベースによれば、２０２０年１月までの3年間で嘘や誤解を招くような発言の回数は１万８０００回以上に上る。米国大統領が１日平均15回嘘をついていたという計算になる。その上、情報機関や報道機関、政府機関といった民主主義の柱ともいえる米国の機関を日々攻撃していた。

嘘つきであるだけでなく、トランプは「嘘つきの利益」を利用する名人でもある。「嘘つきの利益」というのは、自分が気に入らなければ、真実であってもすべてフェイクだと主張して却下してしまえばいいという、嘘をつく人の発想だ。インフォカリプスにおいて、この方法がかつてないほど強力な手段となった。トランプは常にこのやり方を用い、自分に都合の悪い情報に関しては、フェイクニュースだと日々繰り返す。動画の証拠が存在しても、お構いなしだ。2017年にはゴシップ番組『アクセス・ハリウッド』の悪名高い動画をフェイクだと言ってはねつけた。動画には、トランプが「女性器をわしづかみにできる」と自慢する内容が収められていた（もちろん、ディープフェイクがもっと普及すれば、嘘つきの利益はさらに有効になる。自由自在にフェイクが作成可能になれば、本物であってももっともらしくフェイクだと言える）。

要は、自らの選挙の勝利に役立った信用の危機を、トランプが持続させていると言っても過言ではない。ワシントンD.C.を拠点とする無党派のシンクタンクであるピュー研究所の記録によると、政府は正しいと信じている米国民が2007年に初めて30パーセントという低い割合になって以来、米国における政府に対する信用は急降下したという。トランプ政権下では、歴史的な数字にまで落ち込んだ。ピューの2020年の調査によれば、ワシントンの政府が正しいことをすると信じている人は、「ほぼ常に信じられる」が3

パーセント、「だいたい信じられる」が14パーセントの合計わずか17パーセントになっている。[5] このデータを見る限り、米国は「転換点」に近づいているのかもしれない。

アジェンダの設定

「転換点」が見る見る迫っていることを示す第二の指標は、大統領が非常に多くの有害な情報を積極的に拡散しているという事実だ。トランプは「アジェンダ設定機能」によって情報空間を支配している。国家は通常、公の場でよく議論されることほど重要だと考えるため、事実上、情報のルートであるマスメディアが「アジェンダ（議題）を設定する力」を持つとされる。ところが2015年に大統領候補になったトランプは、アジェンダ設定機能の在り方を一変させた。マスメディアにアジェンダを設定させず、伝統的なマスメディアを操って、自分自身がアジェンダを設定するのだ。それを実現する一つの手段として、マスメディアがトランプのことを報道せざるを得ないようなシナリオを作った。写真映えするトランプファミリーを伴い、トランプタワーのエスカレーターを降りて選挙運動を開始した瞬間から、メキシコ人を「レイピスト」と呼び、[6]「中国をやっつける」と約束した。私たちは皆、完全に彼に踊らされていたのだ。

ニュースを思い通りに操り始めたトランプ大統領は、誤情報とニセ情報を流し放題だった。例えば、新型コロナウイルスのパンデミックで移動や集会が自由にできなくなると、トランプはコロナウイルスに関する毎日の記者会見を最大限に利用して、アジェンダの設定にまい進した。客観的に見て、この危機に対する彼の対応はひどいものだった（詳しくは第6章で述べる）。トランプが新型コロナウイルス感染症の治療法として消毒液の注射の話をしたときには、支持政党云々という問題ではなく、こんなばかげた発言をする人物が本当に大統領にふさわしいのか、心底疑問に思った。トランプは非常に効果的に記者会見の場を利用し、パンデミックへの対応は「非常に迅速」だったなどという明らかな嘘も含め、自分が考えた「オルタナティブ・ファクト」（もう一つの事実）を長々と話す。

世論調査の結果、米国人の新型コロナウイルス対策と支持政党には深い結びつきがあることがわかった。公衆衛生上の危機に見舞われている中、これは非常に危険な結果を招く可能性がある。本書を執筆中、米国における新型コロナウイルス感染症の死者は10万人を超えたが、米国人が党派による政治的なメッセージによって形成されたデマを信じて、ロックダウンを無視するなど、自分の身を守る適切な対策を怠ることも考えられるのだ。カイザー・ファミリー財団のある調査によると、共和党支持者は、37パーセントしか外出時にマスクをしないという（民主党支持者は70パーセント）。同じ調査で、トランプの新型コロナウイルス対策の失敗は、投票には影響しないことが示されている。共和党支持者のうち、新型コロナウイルス対策を投票の判断基準だとしたのは、わずか6パーセントだった。民主党は29パーセントだ。[7]

新型コロナウイルスに関するトランプの嘘を嘆いている解説者は、重要な指摘をしてはいるが、見逃していることがある。トランプの得意技であるアジェンダの設定には、内容の良し悪しとは関係なく、報道される量が物を言うのだ。「すべての報道は良い報道」という古いことわざがある。トランプはうなずくはずだ。『ニューヨーク・タイムズ』紙の記事を引用し、自分についての報道がどれだけ多いかをツイッターで自慢している。

視聴率トップはトランプ大統領だ。ホワイトハウスの毎日の記者会見を復活させて以来、トランプと彼が発信する新型コロナウイルスの更新情報のケーブルニュースが、平均

850万人の視聴者を獲得している。人気テレビ番組『バチェラー』の最終シーズンの視聴者数とほぼ同じだ。数字はさらに増え続けている。[8]（後略）

トランプはアジェンダの設定にソーシャルメディアも利用した。彼にとってツイッターは不可欠だ。伝統的なマスメディアという関門を素通りして、世界と直接やり取りできる〝演壇〟なのだ。トランプのツイッターアカウントは、2016年夏には1020万人のフォロワーを抱え、1日に平均15回[9]ツイートするという充実ぶりだった。最高司令官となってからもツイートの回数を減らすどころか、さらに増やした。本書を執筆している時点でのフォロワー数は8000万人だ。2020年初めから、数百万人も増えている。ツイートの回数も4年前と比べるとほぼ2倍になり、1日平均28回だ。

トランプのツイッターアカウントは毎日あわただしく稼働していた。米国のケンタッキー州からスーダンの首都ハルツームまで、世界のどこにいてもほぼ毎時間更新されるトランプのツイートやリツイートを読むことができる。その内容は、扇動的で乱暴で厚かましい。真っ赤な嘘であることも多い。もちろん一言一言が、ショーマンシップにあふれている。例えば自分自身を「真の天才！」[10]と称賛したツイートや、イランのハサン・ロウハニ大統領を攻撃したツイートにそれが見て取れる。

断じて、二度と米国を脅かすな。さもないと、おまえは歴史上まれに見る悲惨な出来事を経験することになる。我々はもはや、おまえの常軌を逸した暴力と死の言葉を黙って聞いているような国ではない。気をつけろ[11]！

こんな風に芝居がかった雰囲気によって、内容の危険な本質が覆い隠されるとともに、正常な発言をしているように思わせてしまうのだ。トランプのツイートはすべて拡散される。彼は、これまでのリーダーが誰もしたことのない方法で、世界中の何千万人もの人々に自分の言葉を届けているのだ。情報の空間をトランプが完全に支配していることには、一種の検閲のような効果があるとする考え方もある。学者の世界で「雑音による検閲」と呼ばれる、古典的なニセ情報戦術だ。誰も把握しきれないほど空間を情報であふれさせ、混乱を生じさせて、注意をそらす。ロシアと同じく、トランプはこの戦術に長けている。

チープフェイクとディープフェイク

転換点が近づいていることを示すもう一つの指標は、フェイクや改ざんされた視聴覚素材を公にシェアしたいという気持ちを、米国の大統領が行動で示しているという事実だ。2018年から、米国の政治議論の場でチープフェイクがちらほら見られるようになってきた。ディープフェイクの前身であるチープフェイクというのは、間違った文脈で使用されたり、お粗末な編集が施されたりした動画、音声、写真などだ。

明らかなチープフェイクを大統領が初めて使ったのは、2018年11月、米国の中間選挙の直後のことだ。当時のCNNのホワイトハウス担当記者でトランプの宿敵だったジム・アコスタは、記者会見で大統領と辛辣なやり取りになった。ホワイトハウスの若い女性のインターンが彼からマイクを取り上げようとしたが、アコスタは「失礼します」と言いながら自分の腕を下げて移動式のマイクを守り、大統領に質問を続けた。トランプはこれに激怒する。アコスタのホワイトハウスへの入館証を、「追って通知するまで」使用停止にするという前代未聞の処分を下したのだ。大統領報道官のサラ・サンダースは、アコスタが「職務を全うしようとしている若い女性を手で押さえた」と非難し、大統領の判断を正当化した。[12]

翌日、このやり取りの内容を改ざんした動画が極右のウェブサイト『インフォウォーズ』で配信された。アコスタがインターンの女性を腕で打ち払っているように加工されていたのだ。この出来事に関するホワイトハウスの説明を裏付ける内容だったため、ホワイトハウスは改ざんされた動画をリツイートし、アコスタを出入り禁止にしたことを正当化した。動画が改ざんされたものであることが明らかになり、アコスタを処分する理由がなくなっても、ホワイトハウス側は一層かたくなになり、アコスタの態度は普段から不適切であり、誰をホワイトハウスに入れるかはホワイトハウスが判断すると述べた。CNNがこの件を裁判所に訴えると、ようやくホワイトハウスは入館証の取り消しを撤回した。[13]

アコスタの出来事は始まりにすぎず、その後も加工や改ざんをされた動画の拡散が繰り返された。2019年には、酔っぱらってろれつが回らなくなっているように編集された、米国下院議長で民主党のナンシー・ペロシの動画が公開された。電子情報の科学捜査を行う専門家によると、おそらく動画の再生速度を遅くする方法で改変されたのだという。このチープフェイク動画を見つけた大統領は、食いついた。愉快そうにリツイートし、何百万人ものフォロワーに拡散、「ナーバス・ナンシー」・ペロシは精神に障害を負っているというメッセージを大々的に広めたのだ。

それ以来、トランプはツイッターにチープフェイク動画をよく投稿するようになった。同年2月には、ペロシが行った政治的アピールをもとに作られたチープフェイクをフル活用した。トランプが一般教書演説を行っているとき、ペロシは大統領が話している間にスピーチの原稿をびりびり破くという大胆な政治的アピールをして見せたのだ。後に動画は、大統領が一人一人の聴衆について語っているときに、ペロシが原稿を破ったかのように作りかえられた。元アフリカ系米国人の航空部隊「タスキギー・エアメン」の兵士（第二次世界大戦の退役軍人）や、子供がその夜に奨学金を受け取ったシングルマザーなどの話への反応として破ったように見せていたのだ。[14] ペロシがやったことは間違いなく党派心丸出しの行為だったが、トランプがリツイートしたチープフェイクがほのめかしているような米国市民をさげすむ意図はなく、大統領に対する反抗心の表れだった。

その後トランプは、改ざんされたジョー・バイデンの動画もリツイートした。「ドナルド・トランプを再選させるしかない」[15] と言ってトランプを支持しているように見える動画だ。この動画は初めトランプのソーシャルメディア担当官ダン・スカビーノのアカウントに投稿された。選挙に先立ち、ソーシャルメディアのプラットフォームが次第にニセ情報の監視を強化する中、改ざんされたメディアに関するツイッター社の新ルールに基づき、スカビーノのツイートにはまっさきに有害という警告が付けられた。それでも抑止力とはならず、トランプはこのチープフェイクを「ジョーに賛成！」というコメント付きでリツイートした。

予想通り、トランプはこの手のチープフェイクを卒業し、ディープフェイクを使い始めた。

またもや標的にされたのはバイデンだった。２０２０年4月、ドナルド・トランプは選挙の対抗馬となる可能性の高い民主党のバイデンのディープフェイク画像をリツイートしたのだ。それはＡＩを使ったスマートフォンのアプリ「マグライフ」（Mug Life）で作ったＧＩＦ画像と呼ばれる簡易的なアニメーションだった。動画の中のバイデン氏は両手を体の前で組んでいる。眉をつり上げて変顔をし、舌をぐるりと回して自分の唇をなめる。[16]もともと匿名のツイッターアカウント@SilERabbitが投稿したものだ。パロディー全般を載せているアカウントだと主張しているが、反バイデンのコンテンツでいっぱいだ。

動画の右下にはマグライフのロゴが入っているので、ディープフェイクであることは明白だが、悪意を感じる投稿だ。「スロッピー・ジョー（だらしのないジョー）」とからかうコメントが添えられ、バイデンがばかに見えるような動画になっている。@SilERabbitはこのバイデンの動画を幾度かツイートしていたが、ついに4月27日、一山当てる。これまで一度もこのアカウントとかかわったことのなかったトランプが、突然この動画をリツイートしたのだ。動画はたちまち拡散された。あっという間に、「#スロッピー・ジョー」がツイッターでトレンド入りした。

このアニメーションはばかばかしかったか。その通りだ。明らかなフェイクだったか。そうだ。それでも効果的だったか。確実にそうだ。トランプがこの動画を拡散したことで、1万7000回近くリツイートされ、4万件の「いいね」が付き、さらに何千人もの人々が目にした。少なくとも有権者のバイデンに対するイメージに何らかの影響があったと考えるのが妥当だ。すでに述べたが、面白ネタやばかばかしいコンテンツを使って政治的なニセ情報を拡散する手口は、まったく悪意がなさそうに見えるからこそかえって危険なのだ。パロディーのアカウントだという「シリーラビット（「愚かなウサギ」の意）」（@SilERabbit）の裏側に隠れているような人物でさえ、トランプのようなインフルエンサーに拡散されれば、有害となり得る。このケースでは、まさに大統領がインフルエンサーとなり、政敵を攻撃するために改ざんされたメディアを使用するというやり方を根づかせたのだ。

党派による分極化

またトランプは情報戦によって党派による分極化を社会に定着させているという点でも、米国を転換点に近づけている。党派による分断を助長することは、トランプの政治目的の達成に好都合だとしても、米国、ひいては西側諸国の世界全般を弱体化させることになる。米国人同士が争ってばかりいると、インフォカリプスなど、党派を超えて解決しなければならない実在の脅威に対抗することができない。

米国の政治は闘争の歴史ではあったが、インフォカリプスにおいて現れたような支持政党による極端な分極化は、比較的新しい現象だ。この傾向はトランプの登場前から見られたが、彼のもとで加速した。ピュー研究所のデータによると、分極化によって米国社会に大きな溝が形成され始めたのは2012年のことだ。トランプ政権下で、溝は極めて深くなった。[17] 現在なんと91パーセントの米国人が、民主党支持者と共和党支持者の間に「強い」もしくは「非常に強い」対立があると考えている。対立があると考えている人の割合は、富裕層と貧困層との関係では59パーセント、黒人と白人の関係では53パーセントだ。支持政党が人種や階級よりも大きな分断の原因になっていることがわかる。

党派による分極化を積極的にあおっているトランプのやり方をもう少しよく知るため、テキサスA&M大学で政治的レトリックの歴史を研究するジェニファー・メルチア博士に話を聞いた。数年にわたってトランプのコミュニケーションの方法を研究してきた学者だ。[18]「多くの人々は聞きたくない言葉だと思いますが、トランプは話術の天才です」とジェニファーは話す。彼は政治の道具として話術を使い、支持者を自分に引き付けると同時に、自分を批判する人々を傷つける。情報のエコシステムにおけるトランプの支配力を考えれば、彼の言葉は米国で進む分極化の定着に計り知れない影響力を持つ。

支持者を自分に引き付けるために、トランプは3通りの話術を使い分けている。一つ目は、「群衆へのアピール」だ。トランプは支持者が自分を支持することに喜びを感じるような工夫をしている。実際には何の根拠もないことも多いが、「我々は、あらゆるところで勝利している」、「我々は今までのどの大統領よりもよくやっている」[19]といった言葉を連発する。米国経済に関しては、でたらめばかり言っている。「我々の経済はたぶん今、世界史上最高の状態だ。中国よりもどの国よりも大きい」などといった調子だ。新型コロナウイルス感染症による不況で、失業保険の受給申請が4000万件に上っていても、そんなことはお構いなしだ。

二つ目に、言っていないという表現を使いながら、実は言いたいことを言う「逆言法」をあざやかに使いこなす。ジェニファーの言葉を借りると、トランプは「これによって責任を課されることなく、情報を再循環させている」のだ。例えば北朝鮮の独裁者を侮辱していないという表現を用いて侮辱したことがある。「どうして金正恩は私を『年寄り』と言って侮辱するのだろう。私は決して彼のことを『ちびでデブ』などと言っていないのに」とツイートしたのだ。逆言法を使って「こんなことを言うつもりはないんだが……」と前置きして何かを言うと、内容が完全にでたらめであっても、支持者たちは紛れもない真実だと思い込む。

三つ目に、トランプは自分の目的達成のために米国例外主義という信条を私物化している。米国は他国とは異なる特別な国だというのは、米国の政治議論の中で長く語られてきた伝統的な考え方だ。しかしトランプの場合はこれまでと違い、主張の中心が誤解を招く間違った内容になっていることが多い。米国が他国からどれほど不当な扱いを受けてきたかを強調し、自分と自分の支持者だけがかつての栄光を取り戻すことができると訴える。「米国を再び偉大にする」というのが、対外政策を語る際のお決まりのフレーズだ。そして、「中国は我々に10セントだって払っていやしない！　私がここに来るまで中国は米国を利用していた！」[20]という発言や、「過去50年で眠たいジョー・バイデンほど中国に対して弱腰な奴はいなかった。あいつは居眠り運転をしている。不当な貿易協定を含め、奴らが欲しがったものを全部くれてやった。俺が全部取り戻してやる！」[21]という発言を連発する。

トランプは自分の支持者をおだて上げる一方で、支持しない人々をこき下ろす。その際も主に3種類の話術を使い分ける。一つ目は陰謀論をでっち上げて恐怖をあおる方法だ。

例えば数千人の集会で、2016年の選挙の対抗馬であるヒラリー・クリントンが「犯罪者」だというでたらめを言って人々をあおり、「彼女を逮捕しろ！　彼女を逮捕しろ！　彼女を逮捕しろ！」と連呼させた。2020年には積極的に「オバマゲート」と呼ばれる陰謀論を拡散し始めた。バラク・オバマが不法に大統領の任務を妨害したという作り話が軸になっている。トランプがオバマの何を非難しているのかは明確ではなかったが、オバマが「米国史上最大の政治犯罪」を犯したと述べていた。2020年5月には「オバマゲート！」と繰り返しツイート、「ウォーターゲート事件がささいなことに思えるくらいだ！」[22]と主張した。選挙が近づくにつれ、オバマゲートへの言及は頻繁になった。

二つ目に、「人身攻撃」と呼ばれる、いわばボールではなく競技者を攻撃する技法を得意としている。嫌な質問をされると、質問者を攻撃してかわすのだ。NBCのホワイトハウス担当記者であるピーター・アレクサンダーが、パンデミックに脅えている米国人に何と声をかけるかと問うと、トランプは彼に畳みかけた。「私はおまえがひどいレポーターだと言っているのだ！　私が言いたいのはそこだ。ひどく不快な質問で、米国民への最悪のメッセージだ[23]」（このやり取りは世界中のニュースの見出しを飾ったが、政権の準備不足には焦点が当てられず、もっぱら個人攻撃に関する内容だった。トランプの勝ちだ）。トランプはまた、個人攻撃が印象に残るようにするため、覚えやすいニックネームを使う。「ひねくれヒラリー」（クリントン）、「眠たいジョー」（バイデン）、「神経質なナンシー」（ペロシ）、「いかさまオバマ」といった具合だ。組織や機関についても同じことをしている。「誤報のニューヨーク・タイムズ」、「何もしない民主党」、「闇の国務省」（米国国務省のこと）などだ。

三つ目に、トランプは敵の悪口を言う際、物に例える具体化という手法をよく使う。ジェニファー・メルチアは、こういった非人間化は「戦争で使われる戦略」だと説明した。人を害虫、ウイルス、くずなどと呼ぶときには、「相手と戦う準備に入っている」というのだ。メキシコ人を「強姦犯と殺人犯」呼ばわりするのはいかにも言いそうなことだが、トランプはそういった言葉を不法移民に対してのみ使っているのではなく、反トランプの共和党支持者の小さなグループに対しても使っているのだ。2019年には、「ネバー・トランパーの共和党員はもうほとんど残っていなくて虫の息だが、ある意味我が国にとって『何もしない民主党員』よりも危険だ。奴らは人間のくずだ、気をつけろ！[24]」とツィートした。

インフォカリプスにおける大衆の人気取り的なトランプの手法は、分断をさらに促進し米国を危険な方向に導いていく。この腐敗したエコシステムの中に不信と分極化を根づかせ、現実の世界の暴力にいつ発展してもおかしくない状況を作り出している。インフォカリプスの中では、暴力がどんどん拡大して制御不能になり、歴史上類を見ない混乱に陥るかもしれない。米国が危険な転換点に近づいている兆候がここにも表れている。

「息ができない」

事件は本書（英語版）の印刷直前に起きた。2020年5月25日、米国ミネソタ州ミネアポリスで46歳の黒人ジョージ・フロイドが白人の警察官デレク・ショービンに殺された。またもや黒人の命が警察の暴力によって理不尽に奪われたのだ。フロイドは偽造された20ドル紙幣を使用したという容疑で逮捕された。通行人が撮った動画には恐ろしい出来事が写っていた。ショービンが、命乞いをするフロイドの首を膝で9分間にわたって押さえつけて窒息死させたのだ。郡の監察医は後にそれが殺人行為に当たると証言している。[25]

どんな説明よりも、フロイドが絞り出した最後の言葉から、この事件の痛ましさがひしひしと伝わってくる。

息ができない
息ができない
殺される
殺される
息ができない
息ができない
どうかお願いします
どうか
どうか
どうか、息ができない

「息ができない」は、すでに米国の人種問題を象徴するフレーズになっている。2014年に別の黒人の米国人エリック・ガーナーが、白人警察官に後ろから腕で首を絞められ殺されたときにも同じ言葉を漏らした。[26] 人種間の緊張が高まり、警官の残虐な行為に対する不満がどんどん増しているという状況でのフロイドの殺害で、人々の堪忍袋の緒が切れた。動画が流されてから数時間で、抗議と暴力が噴出したのだ。ミネアポリスで始まった抗議活動は数日間で米国の30の市に広がった。合法的で平和的な抗議活動が、暴徒や無政府主義者に乗っ取られるケースもあった。略奪が起き、建物、事業所、車に火を放つ人々も現れ始めた。その一方、警察官や武装した部隊が催涙ガスやゴム弾で応戦し、各市で外出禁止令や非常事態宣言が出された。鎮圧のために州兵の助けを求めた市もあった。インターネット上でも現実世界でも、白人至上主義者と左翼の過激派双方が怒りの炎をあおり立てた。[27]

社会秩序が完全に崩壊する懸念が強まる中、トランプ大統領は誠意のある対応をするどころか、積極的に状況を悪化させた。平和的な抗議活動すら認めず、アンティファ（過激な左翼団体）もしくは「極左勢力」呼ばわりしたのだ。

ミネアポリスで抗議の暴動が勃発すると、大統領は民主党の市長ジェイコブ・フレイに責任をなすりつけ、「どういうわけか、対応が甘い場所はことごとくリベラルな民主党員の勢力地域だ[28]」と述べた。ミネアポリスで他の日に起きた暴動で一人の男性が撃ち殺されると、トランプは「略奪が始まれば銃撃が始まる」とツイートした。1960年代に遡る、人種差別的な含みのある表現だ。[29] そして、怒った抗議者たちがホワイトハウスの外に集結すると、トランプはツイートの集中砲火を浴びせた。それ以上近づくと「見たこともないようなどう猛な犬と恐ろしい武器で応戦するぞ」と脅したのだ。[30]

この事態を報道するために現場に駆けつけたジャーナリストが目にしたのは、混乱の中で暴力を受け、逮捕される多くの人々の姿だった。それでもトランプは、静まるよう呼び掛けることもせず、「フェイクニュースは人々の敵だ[31]!」とツイートして報道機関を激しく攻撃し、「ロシアを含めたどの外国よりもデマを流している」とまくし立てた。[32]

2020年6月1日、ホワイトハウスのローズガーデンでの演説でトランプが使った話術は、これまで以上に分極化を招くものだった。暴力を戒め、平和的な抗議活動を認めて団結を呼び掛けることはせず、「反乱法」を発動させて大統領が州の知事の発言を封じ、州兵を送り込んで「市中を支配する」と脅したのだ。[33] 民主党議員の一部からは、独裁者になるつもりだという非難の声も上がった。だが共和党員は、法と秩序を取り戻したとしてトランプを称賛した。[34] トランプは、刻々と変わる社会の状況に対処するに当たり、分極化を積極的に推し進め、人種問題を党派の対立の問題にすり替えたのだ。

選挙の数カ月前、米国は次々と起こる国家的危機に揺れていた。まず、新型コロナウイルス感染症のパンデミック、それに続く経済危機、そしてジョージ・フロイド殺害の結果として起きている暴力と抗議だ。分極化が進行し、情報の環境が誤情報やニセ情報の影響を受けやすくなっている状況下でこういった危機が起きているのは、憂慮すべき事態だ。それなのに大統領は平静になることを呼び掛けず、不信や分極化を助長する言葉を発信し、情報のエコシステムを汚染し続けている。トランプの言葉と行動が問題だ。インフォカリプスにおいては、対立を深める悪質な情報が発信されれば、すさまじい速さで暴力が拡大する。残念だが、米国が団結するまでには、もっと多くの命が失われるだろう。

2020年とインフォカリプス

こうして暗雲が垂れ込める中、2020年11月の米国大統領選の投票日を迎える。この選挙は、前回の選挙からどれだけインフォカリプスが進行したかを示す物差しとなるだろう。私は破壊された情報のエコシステムが、2016年のとき以上に選挙に大きく影響すると思っており、それがどのような形で現れるか四つの予想をしている。

一つ目は、外国からさらに強い干渉を受けるようになるということだ。特に、その分野ではまだ頭抜けているロシアが干渉すると予想される。ロシア政府がこの選挙を利用しようと思っていないはずはない。第2章で書いたように、ロシアは伝統的な手法を磨いている上に、新たな隠蔽の方法も考案している。そして、主役は依然としてロシアだが、ますますロシア政府のやり方に感化されている国々も見逃せない。イラン、サウジアラビア、そして忘れてはならないのが中国だ。第6章でもっと詳しく述べるが、米中関係の悪化に伴い、中国政府は新たに積極的なニセ情報作戦を遂行しようと目論んでいる。中国は、2019年までは主に国内でニセ情報作戦を展開してきたが、今は、西側の市民の暮らしへの潜入にも目を向けている。

二つ目は、米国内にニセ情報がまん延するという予想だ。本章ではトランプの絶大な影響力を考慮して彼に焦点を当てたが、ニセ情報はあらゆる政治的立場の政治団体や個人から発せられるだろう。この兆候は共和党の牙城であるアラバマ州の2017年の上院補欠選挙で見られた。

民主党の工作員が「バーミングハム作戦」と呼ばれる、共和党の候補ロイ・ムーアに対するロシア型のニセ情報作戦を展開したのだ。ソーシャルメディアを使ってアラバマ州の共和党支持者を分断し、票集め運動を行ってムーアと対立する共和党候補に投票させるというものだった。また念入りに仕組まれた偽旗作戦も行われた。ロシアによるニセのツイッターアカウント（いわゆるボットアカウント）がムーアの選挙活動を支援しているという考えを人々に植え付けたのだ。後に『ワシントン・ポスト』紙が入手した文書によると、バーミングハム作戦の工作員は、この作戦が選挙に大きく影響し、ムーアが2万2000票を失ったと主張している[35]（この主張を証明することは不可能だが、勝者である民主党のダグ・ジョーンズがバーミングハム作戦について何かを知っていたという証拠はない。実際、彼は後に連邦の調査を求めている）。

この出来事は、米国が将来進んでいく方向を示している。2020年の選挙では情報操作を用いた作戦がもっと増えるだろう。実際、ニセ情報を監視し、防止する組織であるニュースガードは、すでに共和党と民主党の主要な選挙組織が、「疑わしいニュースサイト」を使って政治的な宣伝やニセ情報の拡散を行っていると報告している。[36] ますます党派間の分断が強まる政治環境の中、米国内で生み出されるニセ情報に関しては、まったく歯止めが利かなくなっているのだ。情報の環境の破壊が延々と繰り返され、やがて党派による分極化と政治不信が今以上に深刻化し、インフォカリプスをさらに悪化させるだろう。

三つ目の予想は、この国内の危機を引き起こす首謀者の一人はトランプ大統領だろうということだ。絶大な影響力とニセ情報の拡散の規模を考え合わせると、米国にとって外国による作戦よりもはるかに有害かもしれない。2020年の大統領選挙に関して言えば、ニセ情報を拡散し、選挙が行われる前から選挙の結果を無効にしようと目論んでいる。堂々と、民主党が「不正選挙」で組織的な不正投票を行おうとしていると強調しているのだ。2020年5月26日には次のようにツイートした。

郵便投票が基本的に不正でない可能性はない（ゼロだ！）。郵便ポストは盗まれ、投票用紙は偽造され、不法に印刷され、不正に記入される。カリフォルニア州の知事は投票用紙を、州に住んでいる何百万という人々に見境なく送っており、（中略）誰であろうと、どういう方法でたどり着いたのであろうと、投票用紙を手に入れることができる。そして専門家を差し向け、大方は投票のことなど考えたこともないすべての人々に、どうやって誰に投票するかを教えている。これは不正な選挙だ。あり得ない！

「不正選挙」というトランプの主張は、今ほとんど毎日のように繰り返されている。これは憂慮すべき事態であり、11月にトランプが勝たなかったら何が起きるのかという不安が湧いてくる。現状では（選挙までまだ数カ月あるので何の意味もないかもしれないが）、世論調査の結果ではバイデンがトランプをリードしている。[37] トランプが負けた場合、選挙の結果を受け入れるのだろうか。彼が受け入れたとしても、彼の支持者はどうだろうか。反対にこんな態度をとっているトランプが、もし勝ったらどうなるだろうか。インフォカリプスの環境では、選挙の余波の中、現実の暴動が起きるまでにそれほど時間はかからないだろう（ジョージ・フロイドの事件の際の抗議活動を思い出してほしい）。どちらが勝っても、他方の支持者が暴動を起こす可能性がある。

このことから私は四つ目の予想をしている。選挙の結果に関係なく、インフォカリプスは進行し続けるだろう。究極の試練が訪れようとしている。本章ではトランプという最も危険な役者を通じてインフォカリプスのことを伝えたが、結局のところ、インフォカリプスはトランプよりも重大な脅威だ。明日、トランプが辞任したとしても、インフォカリプスが終わるわけではない。もしトランプがさらに4年間大統領として君臨すれば、インフォカリプスが助長され、延々と続くことは間違いない。今の状況からは、インフォカリプスに陥っている私たちの情報のシステムが、さらに危険な状態になっていくことが容易に見通せる。残念なことに、現在の米国の政治状況では、党派を超えて団結し、インフォカリプスが引き起こす最悪の結末を回避することは期待できない。それこそが真の悲劇だ。崩壊している危険な情報のエコシステムに対して社会全体で立ち向かうことができなければ、その先に待ち受けているのは全員の敗北だ。

第4章

翻弄される発展途上国の市民

地球規模の脅威

インフォカリプスは西側諸国だけでなく、中南米、アジア、アフリカなど私が非西洋地域と呼ぶ広い範囲で起きている。政治体制に関係なく、あらゆる国に影響が及んでいるのだ。西側諸国が2016年の米国大統領選挙でこの問題に気づく前から、フィリピン、ミャンマー、インドといった国々では、誤情報とニセ情報によって混乱が生じ、大量虐殺のような暴力にまで発展していた。西洋の世界の外側には、インフォカリプスの脅威に対して極めて脆弱な国々が存在することは間違いない。独裁国家や無法国家、不安定な政権下では、インフォカリプスの混乱を利用した犯罪行為もまかり通る。西側の民主主義国家の場合、次第に弱体化しているとはいえ、法律、自由な報道、そして民主的な制度によって社会が守られている。だが、制度的な防衛手段がない、もしくは乏しい国々では、情報のエコシステムの腐敗がもっと悲惨な結果につながる可能性がある。とりわけ、無防備なまま腐敗した情報のエコシステムに加わろうとしている、アジアやアフリカをはじめとする地域の人々は、大きな脅威にさらされるだろう。

西側諸国の外側では、国内の敵対勢力を脅し、反対意見をかき消し、特定の民族や女性に対する暴力をあおり、基本的人権を抑圧するために、インフォカリプスが広く利用されている。東南アジアのミャンマーを例にとってみよう。軍事政権が2010年に厳しい検閲を緩め始めると、情報が限られていた国が、ほぼ一夜にして情報であふれかえった。何百万人もの市民がスマートフォンを手に入れ、フェイスブックを始めた。多くの市民にとって、フェイスブックはインターネットと同義といっても過言ではなかった。2019年までに、5300万人のミャンマー市民のうち、推定2000万人がフェイスブックを始めていた。[1] ところが情報にアクセスする自由を手に入れた途端、彼らは新たな脅威に直面することになる。丸腰の彼らが西側の危険なインフォカリプスの世界に放り込まれると、フェイスブックはニセ情報の温床となった。ミャンマーでは、もともと多数派の仏教徒と少数派のイスラム教徒の間の緊張が続いていたが、極めて深いその闇に渦巻く憎しみを増幅させるためにニセ情報が利用されたのだ。過激派の仏教徒、軍のリーダー、民兵組織がこぞってインターネット上で民族的憎悪をあおり、やがて現実の世界にも波及した。

2014年、国粋主義の仏教僧ウィラトゥは、マンダレー（ミャンマー第2の都市）の喫茶店のイスラム教徒の店主が仏教徒の従業員をレイプしたというデマをフェイスブックに投稿した。瞬く間に、なたやこん棒を手にした暴徒がマンダレー周辺を襲撃し始め、車に放火し、店を荒らした。暴動は鎮圧されたが、この事件は惨劇が起きる前触れだった。[2]人種や民族に絡むデマがフェイスブックで拡散され続け、2015年には憎しみが極限まで膨れ上がり、ついにラカイン州のロヒンギャの人々に対する激しい憎悪という形で噴出したのだ。まず、ロヒンギャの人々が強制移住させられ、それから、ミャンマー軍による大規模な民族浄化キャンペーンが展開された。人権NGOのヒューマン・ライツ・ウォッチは、ロヒンギャに対する残虐行為を「人道に対する罪」と指摘した。[3]ようやくフェイスブックが、過激派による誤情報とニセ情報を用いた少数派のイスラム教徒に対する暴力の奨励を禁止したときには、すでに2万5000人のロヒンギャが殺害され、70万人が国外に逃げていた。国連はフェイスブックを「けだものになった」と非難、ロヒンギャの人々に対するニセ情報とヘイトスピーチが急増するのを許容した行為について、「ジェノサイド（集団虐殺）に当たる」と糾弾した。[4]

ミャンマーの事例から、情報の時代における自由は、必ずしも良い結果を生むとは限らないということを思い知らされる。実際、市民が危険な情報のエコシステムの中に放り込まれることによって、直接命にかかわるような事態になる可能性があるのだ。

インドでも、情報のエコシステムがはらむ危険性を如実に示す出来事が起きている。フェイスブック社が所有するメッセージアプリ「ワッツアップ」（WhatsApp）を例に取ってみよう。非公開で暗号化の技術が使われているワッツアップは、デマ拡散の主要なルートの一つだ。非公開という性質上、はっきりした経緯はたどれないが、影響は甚大だ。ワッツアップの利用者は世界で20億人。友人や家族との交流に用いられることが多いため、このアプリで受け取る情報は信用できると考えている人が多い。インドでは現在約4億人がこのアプリを利用しており、誤情報やニセ情報の主な発信源となっている。何百万人という無防備なインド人が初めてインフォカリプスを経験したため、その危険性があっという間に表面化した。デマが人々のスマートフォンで森林火災のように瞬く間に広がり、田舎を中心に数十件もの恐ろしい殺人事件が起きている。

例えば2018年7月には、南インドの田舎の村の親戚を訪ねた友人同士の5人の男性が事件に巻き込まれた。帰省の道中、5人がある学校の近くで休憩していると、下校する子供たちが校門から一斉に出てきたので、親戚へのお土産として持っていたチョコレートを分けてあげた。5人は休暇をのんびり過ごすつもりだったが、この後、たちまち恐ろしい出来事に巻き込まれる。インドでは、数カ月前からワッツアップで子供の誘拐の噂が広まり、厳戒態勢が取られていた。拡散されたデマの中に、道路で遊んでいる子供たちにバイクに乗った二人組の男が近づき、一人が子供の方に身を乗り出すと、子供の一人を抱えて走り去るという動画があった。

これは実はパキスタンの子供の安全キャンペーンで使われていた動画をもとに作られたチープフェイクだったが、子供を誘拐する悪党がインドのそこかしこに潜んでいるという集団ヒステリーの引き金となった。2018年の7月のケースでは、休暇で訪れた無実の5人を誘拐犯だと思い込んだ村人たちが、車に近づき、タイヤをパンクさせ、子供を誘拐するなと叫びながら、殴りかかった。5人は殺されるという恐怖に駆られ、2人は車を降りて野原を走って逃げ、3人は車で逃げた。しばらくして、車で逃げる男たちの動画が、子供を誘拐した犯人というコメント付きでワッツアップに投稿されてしまう。数分のうちにそれが拡散され、周辺の村にも広まった。3人が乗った車が隣村に近づくと、大勢の村人たちが道を塞ぎ、怒り狂いながら車の方に押し寄せ、男たちを激しく殴った。警察が駆けつけたものの、事態を収拾することはできなかった。32歳のソフトウエアエンジニアが容赦なく殴り殺され、残りの二人はかろうじて命を取りとめたものの、激しく殴打されて重傷を負った。[5]

ディープフェイクと人権

サム・グレゴリーはウィットネス（WITNESS）という人権団体のプログラム・ディレクターだ。動画を証拠として用い、世界の市民の人権の擁護に尽力してきた。もちろん動画は真正な証拠だという前提に立っているのだが、ディープフェイクはその前提を覆してしまう。そこでサムは長い時間をかけて、ただでさえ弱い立場の西側諸国以外の社会や市民にディープフェイクが与える影響を検討してきた。

ウィットネスは２０１９年、ジャーナリスト、活動家、ＮＧＯなど主な関係者を招いてブラジル、南アフリカ、マレーシアでワークショップを開催し、こういった地域でサムが言う「ニセ情報の放水ホース」（デマの拡散者）と戦う彼らが、ディープフェイクの脅威をどう見ているのかを聞いた。[6] 答えは一貫して、西側諸国と違い、一番の不安の種は他国の干渉ではなく、自国の政府や政府以外の国内の勢力だと語った。ウィットネスは次のように報告している。

これらの比較的小さな、地政学的な重要性の低い国々の市民の場合、他国による攻撃はあまり念頭になかった。国内の脅威に直面しているために、優先順位の低い問題になっているのだ。国家は内部の反乱分子を探すことに主眼を置いて諜報活動を行っていると思われ、政府を批判している市民は、他国よりも自国の政府に恐怖を感じている。[7]

こういった場所では概して、市民が撮影した動画を証拠にするという考えには、あまり賛同を得られなかった。専制的な政府や独裁政権には、市民のメディアを握りつぶす確固たる動機があり、情報をコントロールできるのは権力者だけだ。

現在一般化している唯一のディープフェイク動画である同意のないポルノは、女性を黙らせ、脅す手段としてすでに利用されている。インドで働くイスラム教徒の女性ラナ・アイユーブは、取材熱心なジャーナリストで執筆家だ。主に、イスラム教徒とヒンドゥー教徒の対立が絶えない南アジアにおける、醜い宗教対立による暴力に焦点を当てた仕事をしてきた。例えば、群衆が暴徒化し、790人のイスラム教徒と253人のヒンドゥー教徒が虐殺された2002年のグジャラート暴動について、政治家と警察が加担していたことを本に書いている。[8] この暴動は、非常に恐ろしい出来事としてインドの人々の記憶の中に刻み込まれた。作家のパンカジ・ミシュラは後に、「大虐殺の様子は、インドの数えきれないほどの（中略）テレビチャンネルで、大々的に放映された。多くの中流階級のインド人は、幼い子供さえも殺害されたことに衝撃を受けた。イスラム教徒の暴徒が、子供たちの頭を岩にたたきつけている様子が映っていたのだ」と記している。[9]

当時のグジャラート州首相ナレンドラ・モディは、公務員や警察に暴徒を制止しないよう指示したとして後に責任を追及された。しかし今ではインドの首相であり、与党であるヒンドゥー至上主義のインド人民党（ＢＪＰ）の党首だ。虐殺への関与の否定と、暴動に対する非難を続けている（後に、インドの最高裁判所が任命した特別調査団によって、暴力への関与の疑いは晴れた）。

ラナは、少し違う見方をしていた。インド人民党を公然と厳しく批判する彼女は、これまでも最も危険な暗部に切り込んでいた。そして明らかにそれが理由で、インターネット上で脅迫を受けていた。ラナは『ハフィントン・ポスト（ハフポスト）』に「たかがインターネット上の嫌がらせであり、それが現実の嫌がらせにつながるわけではないと自分に言い聞かせて、無視するようにしています」と話していた。[10]

ところが2018年4月、事態は一変する。8歳のイスラム教徒の少女がレイプされる事件が起き、インドは怒りに包まれた。与党であるインド人民党は、この凶悪事件の犯人として起訴されたヒンドゥー教徒の男を支援するデモの準備をしていた。一方、ラナは事件について話をするためBBCとアルジャジーラ（カタールの衛星テレビ局）に出演する予定だった。彼女自身の言葉を借りると「インドが、子供に性的虐待を加えた犯罪者を守る恥知らずな国であること」を語るためだ。翌日、ラナは自分自身がニセ情報作戦の標的になっていることを知る。

まず、ラナが発信したように見せかけたニセのツイートが、次々とソーシャルメディアで拡散され始めた。インドとパキスタンの間のヒンドゥー教徒とイスラム教徒の分断を刺激する内容のツイートを、ラナが自分の公式アカウントに投稿したかのように見えるスクリーンショットが投稿されたのだ。「私はインドを憎んでいる」、「私はインド人を憎んでいる」、「私はパキスタンを愛している」という文面だった。ラナはすぐにそのツイートが偽物だと弁明した。だが、攻撃はエスカレートする。翌日ラナは、インド人民党の内部の人物から警告を受け取った。彼女の動画がワッツアップで出回っていると言い、送ってきたのだ。動画を開いたラナは嘔吐《おうと》した。それはラナを「ポルノ女優」に仕立てた、フェイクポルノ動画だったのだ。後にラナはこのときのことを詳しく語っている。「どうしたらよいかまったくわかりませんでした。インドのような国では、あれは一大事だったのです。どう対処したら良いかわからず、ただ泣き出してしまいました[11]」。ラナのスマートフォンの通知音が鳴り続けた。ピーン、ピーン、ピーンと、何百件ものツイッター、フェイスブック、インスタグラムの通知が画面に続々と表示される。ソーシャルメディアのアカウントは動画のスクリーンショットで埋め尽くされ、彼女の「体」についての身の毛もよだつようなプライベートメッセージも届いた。そして動画は、インド人民党の熱心な支持者のページでシェアされ、拡散された。

翌日ラナは、インターネット上で「さらされた」。個人情報をインターネット上で公開するという悪意に満ちた嫌がらせだ。ディープフェイク・ポルノのスクリーンショットとともに個人番号が載せられていた。ラナのワッツアップには、売春の料金を問うメッセージや、レイプする、殺すといった脅迫が殺到した。結局、ラナは数日間家から出られなくなり、執筆活動も停止した。「あのことは私の中でまだ尾を引いています。あの動画が公開されたときから、私はもう以前の私ではなくなりました。それまでは自分の意見をはっきりと言うタイプでしたが、今ではインターネットに投稿する内容には非常に慎重になっています。自分の書いた文を念入りにチェックせずにはいられません[12]」

もし動画公開の目的が、ラナを黙らせることだったなら、まさに大成功だったと言える。これを皮切りに、政治的な反対意見を封殺するためのディープフェイクが今後増えていくだろう。

2020年2月、インド人民党は選挙活動でも一番乗りでディープフェイク動画を使用した。世界に発信された『ヴァイス』の記事によると、デリーの議会選挙の前日、インド人民党の州代表マノージュ・ティワリーが、州の現政権を担う左派ポピュリズムのアーム・アードミ党（AAP）の党首アルビンド・ケジリワルを批判する2本の動画が、ワッツアップで拡散された。片方はティワリーが英語で話している動画だったが、もう一方はヒンディー語の方言であるハリヤーンウィー語で話しているものだった。「ケジリワルは、約束を守らなかった。今がすべてを変えるチャンスだ！」と演説し、投票で現状を正すよう促す内容だ。その後、この動画はデリーと周辺地域で、ワッツアップの5700ものグループで共有され、約1500万人が目にした。動画はディープフェイクだったが、合成されたメディアであるという表示はどこにもなかった。

動画を製作した政治広告を扱うインドの会社アイデアズ・ファクトリーは、「積極的な政治運動」のためにディープフェイクを使用したものであり、政治家が多様な有権者とつながる手助けをする画期的な手段だと自賛した。私が『ヴァイス』の記事のリンクとともに、動画がディープフェイクだと明示せずにシェアされたことを批判するツイートをすると、アイデアズ・ファクトリーのサガール・ビシュノイから、ツイッターのダイレクトメッセージが届いた。「ニーナ、こんにちは」で始まるメッセージには「私たちは、誤情報やフェイクニュースを拡散するためではなく、リーダーのメッセージをさまざまな言語で多くの人に伝えるという、前向きな目的でディープフェイクを製作しました。ディープフェイクの不適切な使用が問題であることは承知しています」と記されていた。

南アジアで育った私は、この地域が政党や民族の対立による暴力に苦しんできたことや、インド亜大陸におけるメディアリテラシーの低さを知っているので、このディープフェイクについてもっと懐疑的な見方をしていた。選挙を目前にして、本物に見せかけたニセのコンテンツで何百万人もの有権者をだまそうとしていると思ったのだ。確かにこのコンテンツは比較的無害なものだったが、時として犠牲者を出すような民族や党派の対立が長く続いているインドでは、政治家が支持者を増やすために、インド亜大陸で使われているさまざまな言葉で話せるふりをする可能性もある。動画を作成した真意はさておき、組織的な選挙運動でディープフェイクを用い、現実とフィクションの境界を不鮮明にした歴史上最初の事例であることは間違いない。これが最後ではないだろう。

ディープフェイクの存在自体が引き起こした政変

ディープフェイクの歴史は始まったばかりで、まだ大量のニセ情報が武器として使われるような事態には至っていないが、ディープフェイクという技術の存在自体が、すでに人々の公の場での議論をかみ合わなくしたり、政敵や真実、信用を傷つけたりするのに用いられている。ディープフェイクがもたらすもう一つの大きな問題も浮上してきている。第3章で紹介したいわゆる「嘘つきの利益」によって、すべての人があらゆることをもっともらしく否定することができたり、真実であってもフェイクだと思わせたりできるのだ。

２０１８～２０１９年に中部アフリカで軍事クーデターの未遂事件があったが、その核心に「ディープフェイク」が絡んでいた。ガボンのアリ・ボンゴ・オンディンバ大統領は、数カ月間国民の前に姿を見せていなかった。原油を産出する豊かなアフリカの国を50年以上も支配してきた家の跡継ぎだったボンゴは、２００９年に父親の後を継いで大統領になった。周辺の国々と比べると、近年、ガボンは比較的安定していたが、２０１６年のボンゴの再選の際には、不正があったという主張や暴力を伴う抗議活動も起きた。彼には政敵も多かったのだ。

時は流れ、２０１８年10月、ボンゴは投資サミットに出席するためにサウジアラビアを訪れていた。するとサウジアラビアの当局から、ボンゴが入院したという知らせが届いた。本国のガボンでは、ボンゴの容態についてほとんど情報がなかった。当初、政府は沈黙を守っていたが、やがて一貫性のない報告を始める。最初は「重い過労」だと伝え、11月には「出血がある」に変更した。大統領の動画が公表されたが、音声はなかった。ボンゴの行方や健康状態をめぐる憶測が盛んに飛び交うようになり、死亡説や影武者説も飛び出した。政府が何も語らないのをいいことに、政敵がデマを広めたのだ。ついに12月の初め、副大統領はボンゴが脳卒中を患い、「体調不良」だと伝えた。[13]

国中が噂で持ちきりになったため、政府は恒例のボンゴによる新年の演説の動画を公開して事態を収拾しようとした。健康状態の悪化の噂が立ってから、公の場で初めて行った演説の動画で、ボンゴが健在だということを証明するつもりだった。だがそううまくはいかなかった。動画のボンゴは不自然だったのだ。その様子はまだユーチューブで見ることができるが[14]、表情はほとんど変わらず、額と眉間にあったはずのしわがまったくなく、異様に滑らかだった。目は不自然に大きく見開き、右目が左目よりも大きく見えた。後に神経学者のアレクサンダー・W・ドロメリックはボンゴの外見について、脳卒中や脳の損傷を患った人に特徴的なものだと、『ワシントン・ポスト』紙に話している。またドロメリックは、脳卒中の影響を目立たなくするためにボトックス療法（注射による若返り術）などを施した可能性もあると指摘する。[15] もしそうであれば、やけに目を大きく開いた不自然な表情も説明がつくという。

動画公開後も噂が鎮まる気配はまったくなく、むしろ盛り上がった。ボンゴに批判的な人々は、ますます何かうさん臭いことが進行しているという見方を広めた。人々は動画に写っているのは影武者ではないか、あるいは動画がディープフェイクなのではないかという疑念を持ち始めた。かつて二度の選挙でボンゴと争ったガボン人の政治家ブルーノ・ベン・ムバンバは大っぴらにディープフェイク説を拡散した。ボンゴの顔と目に「動きがなく」、「ほとんど顎の上につるされているような感じ」に見えるので、そういう結論に至ったと述べたのだ。また、これは事実だが、ボンゴの目が「顎の動きとまったく合っていない」という指摘もしている。[16] 2019年1月に『ガボンレビュー』にディープフェイク説の記事が載ると、ついにインフォカリプスの混乱が現実の世界に波及する。[17]

2019年1月7日午前3時、国営のラジオ放送局で銃声が響いた。初め、近隣住民は若者が花火で遊んでいる音だと思ったという。すぐに、それがクーデターの試みだということが明らかになり、生中継された。インターネットで映像を見ることができる。緑色のベレー帽をかぶり、軍服に身を包んだ軍の司令官がラジオ局の椅子に座り、両脇には機関銃を持った二人の護衛が直立している。「ガボンの皆さん。同国人の皆さん、私はケリー・オンド・オビアン中尉、共和国警備隊の名誉ある作戦の副司令官だ」と話し始め、次のように続けた。

またもや、権力にしがみつこうと必死になる人々が、アリ・ボンゴ・オンディンバ大統領を利用し、支援し続け、肉体的精神的機能を失った病人を、大統領に据え置こうとしている。見るに堪えない新年の演説の姿は、尊厳を失った我が国の恥を世界中の人々の目にさらしている。[18]

軍人たちはボンゴが正気を失っており、大統領の新年の演説の映像は改ざんされたものだと主張した。クーデターは24時間以内に制圧され、未遂に終わったものの、インフォカリプスにおける情報の環境はあっという間に制御が利かなくなり、悲惨な結果につながる可能性があるということを示す出来事だった。このケースではボンゴの病気の噂が政敵に利用されたが、同じ戦術を政府が使って、政敵や一般国民を脅したり虐げたりする可能性だってあるのだ。

アリ・ボンゴはその後、杖をついて公の場に現れた。彼が脳卒中を患っていたかどうか、公的な発表はないが、それが一番納得のいく説明ではある。アムステルダムに拠点を置くディープフェイクの調査会社ディープ・トレイスをはじめとする科学捜査の専門家は、新年の演説はディープフェイクではなく、病気の大統領を健在に見せるための、行き過ぎた「やらせ動画」だったと考えている。しかしこの出来事は、私たちの情報エコシステムの弱点を如実に物語っている。ディープフェイクが実際に用いられなくても、単に皆がディープフェイクの存在を知っているだけで情報のエコシステムがむしばまれ、実際に起きていることが真実かどうかわからなくなるのだ。

セックススキャンダルはでっち上げ？

ディープフェイクを利用して、偽物を本物に見せたり、本物を偽物に見せたりする出来事が、他にも政治の世界で起きている。２０１９年の夏、マレーシアでも「ディープフェイク動画」が拡散された。マレーシアの経済大臣モハマド・アズミン・アリが、ライバルの部下である男性ハジク・アブドゥル・アジズとセックスをしている映像だ。

動画が拡散されてから数日後、ハジクはフェイスブックの動画に写っているのは自分とアズミンだと告白する。自分たちは3年以上にわたり性的な関係にあると主張、アズミンが自分の同意なく、知らないうちに動画を撮っていたと非難した。アズミンに対して次のように書いている。

あなたは病んでいる。ホテルの部屋に私を誘った後、動画を撮影して収集できたのは、常にあなただけだった。私はもっと動画が流出するのではないかと懸念している。あなたは大臣だから、否認権を行使するという特権があるが、私の未来は終わった。さらにあなたは、正式な調査がまったく行われないうちに、首相に全面的な支援を約束されている。[19]

マレーシアでは同性同士の性行為は違法で、植民地時代からの禁令では、男色は罰金およびむち打ちに加え、最長20年の収監と定められている。マレーシアの政界では1990年代から、セックススキャンダルが敵を失脚させる常とう手段となっていた。過去には政治家が男色の罪で刑務所に入れられたこともあり、これはとても深刻な出来事だった。スキャンダルが暴露されると、ハジクは逮捕されたが、アズミンは首相らを後ろ盾に、セックス動画は自分のキャリアに傷をつけるために作られたディープフェイクだったと説明した。首相も、「これはでっち上げだ。政治的な策略だった」とアズミンを擁護した。

動画が本物かどうかの議論が展開される中、証拠を探すために徹底的な調査が行われた。マレーシアのある報道機関は、「本物のアズミンか、ディープフェイクか」という見出しで、ディープフェイクだと推定されると報じた。理由として、「動画の中のアズミンとされる人物が、快楽よりも、違法な金の採掘から貴重な生態系を守るギニアの精鋭の兵士たちのことを伝えるBBCニュースの方に気を取られていた」ことを挙げている。さらに「役者たち」の動きに貪欲で荒々しい感じがなかったということも付け加えている。[20] しかし科学捜査の専門家は、ディープフェイクだという証拠はおろか、わずかな改ざんの痕跡すら見つけられなかった。

それにもかかわらず、アズミンは今でもマレーシアの政治家として高い地位に就いている。閣僚としてとどまっており、今は上級経済大臣兼国際貿易産業大臣だ。もし動画が本物なら、アズミンは「嘘つきの利益」を享受しているということになる。現実があいまいになることで一番利益を得ているのは、インフォカリプスを利用する悪者たちだ。あらゆる標的に対して攻撃を仕掛けることができる上、都合の悪いことは何でも否定できる。このような状況下では、何が真実なのかが不明瞭になるだけでなく、権力者たちが都合よく説明責任を回避することができる。

民主主義の西側諸国では、インフォカリプスがかなり進んでいるが、まだ防御の方法がある。第7章で述べるが、私たちは反撃も始めているのだ。一方、インド、ミャンマー、ガボン、マレーシアなど西側諸国以外の国々では、間違いなく防御手段が乏しく、信用できない悪質な情報によって、もっと深刻で衝撃的な事態が引き起こされるかもしれない。社会が対処できなくなる限界点も近い可能性がある。だが、その影響は結局、地球全体に及ぶ。民主主義国家であろうとなかろうと関係ない。インフォカリプスに国境はない。

第5章
犯罪の武器になる
野放しのディープフェイク

詐欺師や犯罪者が、すでにインフォカリプスを謳歌している。個人も企業も、増加と進化を続けるこういった脅威に対して脆弱だ。詐欺などの犯罪は有史以前からあったが、インフォカリプスによって遂行しやすくなり、さまざまな人がまんまとだまされる世の中になった。ディープフェイクはこういった犯罪者の新たな武器となるだろう。

2016年、詐欺グループがフランスの国防大臣ジャン＝イブ・ル・ドリアンを装って5000万ユーロ以上の金をだまし取る、大胆で突飛な事件が起きた。視覚や聴覚を使ったコミュニケーションを巧みに利用し、裕福な人々に電話やビデオ電話をかけ、フランス政府の「秘密の」ミッションへの資金提供を依頼したのだ。計画は大胆だったが、手段は割と古典的だった。ル・ドリアンの顔のシリコンマスクをかぶった詐欺師の一人が、公務用らしき机に向かって座り、何百万ユーロもの寄付を依頼するビデオ電話をかけたのだ。後ろにはフランス国旗が掲げられていた。グーグルの画像検索で「ル・ドリアン詐欺」と検索すると、被害者が見たのと同じビデオ通話の画像を見ることができる。本書で取り上げてきたディープフェイクの水準には遠く及ばない代物で、シリコンマスクをかぶった男は、皮膚は蒼白《そうはく》で、目はくり抜かれたような黒い空洞という不気味な容貌だ。こんな映像に、現実の世界で活躍する一見聡明な3人のビジネスリーダーが、ころっとだまされてしまった。被害者の一人はイスラム教イスマーイール派の宗教指導者アーガー・ハーンだ。ポーランドと中国の口座に5回、合計２０００万ユーロを送金した。またトルコの大物実業家イナン・クラチは、４７００万ユーロ以上を送金した。シリアで捕虜になっている二人のジャーナリストの身代金だと言われたらしい。

こんな子供だましみたいな詐欺が成功したということが、視覚や聴覚を使ったコミュニケーションの力を証明している。第1章で述べたが、私たちには、音声や動画といったメディアが改ざんできるものだという感覚が身に付いていない。豊かな資産を持つ富裕層や、誰よりも守られている立場の人でさえ、なりすましの詐欺に引っかかってしまう例が後を絶たない。

２０２０年の初め、英国のヘンリー王子は、若き環境活動家グレタ・トゥーンベリとその父親だという、ロシア人の二人組のいたずら電話にだまされた。そして、米国大統領ドナルド・トランプの「手は血で汚れている」という、外交上の無礼にあたる発言をしてしまった上、当時世界中で大きな話題になっていた、自分とメーガン妃が英国王室の公的な役割を離脱するという、いわゆる「メグジット」の問題についても口を滑らせてしまった。[1] ビデオに映る怪しいお面にだまされて世界の要人が大金を払い、グレタ・トゥーンベリになりすましたいい加減な二人組にだまされて、ヘンリー王子がごく個人的な話をしてしまうのだから、私たちはディープフェイクを迎え撃つ準備ができていないと言わざるを得ない。第1章で述べたように、ディープフェイクはただのメディアの改ざんとは一線を画するものだ。訓練データを用いてゼロから作ることができるため、犯罪者や詐欺師が私たちの生体情報を盗んで、有効に利用できる。私たちの写真や声を勝手に使い、実際にはしていない言動をしたかのように、仕立て上げることができるのだ。

ニセの音声は世界中の詐欺師にとって非常に有効な武器だが、AIはその武器をさらに増強することになる。AIはすでに、人間の声のディープフェイクを作り出すのを得意としている。ユーチューブのチャンネル、『ボーカル・シンセシス（Vocal Synthesis）』の投稿を見てほしい。匿名のユーチューバーが2019年8月にこのチャンネルを立ち上げると、瞬く間に700万回近い視聴回数を記録した。このユーチューバーがやっていることはただ、タコトロン2（Tacotron2）というグーグルが開発したオープンソースのAIソフトウエアを使って、有名人や政治家の声を再現した短い音声を流しているだけだ。[2] ボーカル・シンセシスに何かを害する意図はなく、面白がらせる目的でやっていることは明らかだが、すでに亡くなっている人々の声を含め、他人の声を勝手に使うことが、倫理や法律に触れないのか微妙なところだ。

　このチャンネルで一番人気があるのは、墓の中からよみがえらせたジョン・F・ケネディ元大統領の声だ。「ＪＦＫがネイビーシールズのコピーパスタを読む」というタイトルを初めて見たとき、何のことかまったくわからなかった。コピーパスタって何だろうか。再生してみると、驚いたことにＪＦＫの特徴的な声が聞こえてきた。「この雌犬め、俺のことを何といいやがった？」と始まる。「覚えておけよ、俺はネイビーシールズのクラスを首席で卒業し、アルカイダに対する秘密作戦に何度も加わって、確実に３００人以上は殺したんだぜ」。驚いた。やや甲高く、ロボットじみた響きもあるが、まさしくＪＦＫの話し方だ。口調もイントネーションも完璧に近い。

「ネイビーシールズのコピーパスタ」は、「荒くれ者」を装って人をからかう、インターネット上の有名なネタだ。２０１２年にある人物が荒くれ者のふりをして投稿した文章が、拡散されたのが始まりだ（「コピーパスタ」はコピー・アンド・ペーストされて拡散されたネタのこと）。他のネットユーザーのコメントに反応し、自分が元ネイビーシールズ（米海軍特殊部隊）の百戦錬磨の隊員で、「300人を殺した」経験があるなどと、ばかげた主張や大げさな脅しを書いたのだ。投稿は、ゲリラ戦を「ゴリラ戦」と打ったり、「素手で700通りの方法でお前を殺せる」と書いたり、おかしなタイプミスや誇張表現であふれていた。[3]

そして今、AIのおかげで、この有名なコピーパスタをJFKの声で聞けるようになった。口調は完璧だ。「俺はゴリラ戦（原文のまま）で訓練し、米国軍全体でトップのスナイパーだ。おまえは私にとって標的の一つにすぎない」とJFKに特徴的なマサチューセッツなまり（rを発音しない）で話し続ける。JFKのネイビーシールズ・コピーパスタの再生時間は全体で1分44秒だ。[4]

まもなくAIはこの声に動画を重ね合わせることができるようになる。そうなれば、JFKが話している声だけでなく、本人の口から言葉を発し、まばたきをし、頭を動かし、手足を使ってジェスチャーをする様子も見ることができる。スターリンのもとで働いていた写真加工の技術者たちは、スターリンが気に入らなくなったソ連の政治家を「消す」ことができたが、合成メディアは完全に歴史を書き換えることができるのだ。ボーカル・シンセシスの人気動画には、ジョージ・W・ブッシュ元大統領が、フィフティ・セントのヒット曲『イン・ダ・クラブ』をテキサス訛りで歌っているものもある。「俺はセックスにハマっているが、メイク・ラブにはハマっていない」など、露骨な性的表現が含まれるラップだ。[5] また、ボーカル・シンセシスは、JFK以外にも、フランクリン・D・ルーズベルトやロナルド・レーガンといったすでに亡くなっている米国大統領をよみがえらせている。

2020年4月、ラップのスーパースター、ジェイ・Zが、ボーカル・シンセシスに対して著作権侵害を主張した。ボーカル・シンセシスがAIを使って、シェイクスピアの『ハムレット』の独白「生きるべきか、死ぬべきか」と、旧約聖書の創世記を引用したラップをジェイ・Zの声で作り、投稿したのだ。ジェイ・Zは、同意なく自分の声を使ったとして投稿を削除するよう要求した。これに対し、ボーカル・シンセシスはドナルド・トランプとバラク・オバマの声を使い、「ジェイ・Zがこんなやり方でちっぽけなユーチューバーをいじめてがっかりだ」[6]と投稿している。ジェイ・Zとボーカル・シンセシスの間で起きたような争いは、これからどんどん増えるだろう。インフォカリプスの中で合成メディアがもっと広まれば、プライバシー、セキュリティー、使用の同意に関する争いが日常的に起きてくることは間違いない。

もう一つ、有名な臨床心理学者ジョーダン・ピーターソン博士の事例を紹介しよう。博士は、ノットジョーダンピーターソン・ドットコム（NotJordanPeterson.com）という、利用者が博士の声を使ったディープフェイクを作ることができるウェブサイトに対して訴訟を起こした。博士は特に、自分を笑いものにして誹謗《ひぼう》中傷したり、悪い印象を植え付けたりするためにウェブサイトが利用されていることに危機感を募らせた。例えばあるジャーナリストは、ピーターソンが「SCUMマニフェスト」の一部を読み上げるディープフェイクを作った。[7]過激なフェミニストのバレリー・ソラナスが1967年に書いたSCUMマニフェストは、非常に不穏で暴力的な内容だ。男性は「生物学的にたまたまできた失敗」であり、女性が「直ちに」、「男性の協力なく」子供を作れるようにしなければならず、「すべての男性が心の底では自分が無価値なごみくずだとわかっている」と論じている。[8]

ピーターソンは、ソラナスの暴力的な思想を読み上げるのに自分の声が使われたことに抗議した。マニフェストを書いた一年後、ソラナスは芸術家アンディ・ウォーホルを撃ってけがを負わせている。ウォーホルは一命をとりとめたが、生涯、医療用コルセットを着用しなくてはならなかった。[9] ピーターソンは、2019年8月にディープフェイクを発見したときの動揺を次のように記している。

> 誰もが、何でも言わせたいことを私に言わせている、信ぴょう性のある音声（おそらく動画も）を作れるようになってしまった。私はすでにそういう状況に置かれている（皆さんの多くもすぐに同じ立場になるだろう）。どうやって、そんな状況と戦えと言うのか。さらに言うと、近い将来、私たちはあらゆる電子的なメディアを信用できなくなる時代が来るのではないだろうか（例えば次の大統領選ではどうだろう）。（中略）目を覚ませ。あなたの声や姿の尊厳が深刻な危機に瀕しているのだ。私たちを比較的、平和に結び付けている、私たちが共有し信頼している現実感が、今最大の課題に直面している。必要なあら

ゆる法的手段を使って、ディープフェイクのアーティストをできるだけ早く止めなければならない。[10]

誰もが被害者に

ピーターソンは正しい。私たちは、目を覚まさなくてはならない。そして、未来のものと思っていたディープフェイクによる詐欺事件が、すでに起き始めていることも驚くに当たらない。2019年3月、『ウォール・ストリート・ジャーナル』紙は、英国のエネルギー企業がディープフェイクの音声を使った詐欺に遭い、25万ユーロをだまし取られたと報じた。企業名は公表されていないが、保険会社がこの出来事を『ウォール・ストリート・ジャーナル』に伝えた。詐欺師はAIを使って会社のドイツ人のCEOの声をまねたのだという。[11] 詐欺グループはニセの声を用いて幹部に電話をかけ、エネルギーのサプライヤーだという企業に直ちに25万ユーロを送金するように指示した（専門的な独立機関による音声の検証はされていないため、ディープフェイクだったか否かは定かではない）。幹部は、通常の依頼ではないと思ったが、話している相手が上司だと信じ込んでいたため従ったのだと言う。もう一度25万ユーロを送るように依頼されて初めて、怪しいと感じたのだ。銀行や当局に連絡したときには、すでに金も証拠も消えていた。

彼らがＡＩを用いてＣＥＯの声を再現していたと仮定した場合、その技術的なプロセスは説明がつく。ＡＩのアルゴリズムを訓練するための個人データを収集しなくてはならなかったはずだ。このケースでは、訓練に必要なのはドイツ人のＣＥＯの声だ。彼が要職にあることを考えれば、声は公の場で入手可能で、簡単にアクセスできるだろう。おそらく、企業のウェブサイトやユーチューブ、リンクトイン（LinkedIn）などに、スピーチが投稿されているはずだ。ニュースチャンネルのインタビューなども、音声または動画という形でソーシャルメディアに取り上げられているかもしれない。ソーシャルメディアの個人アカウントに投稿していた可能性もあるし、自分ではしていなかったとしても、誰かが投稿した可能性もある。

誰かの声や外見を盗むことが可能になった今、昔からあるなりすまし詐欺が格段にパワーアップしたわけだ。サイバーセキュリティー企業のシマンテックは、２０１９年3月に大きく報道されたドイツ人ＣＥＯの事件から4カ月とたたずに、他にも3社が同じ手口で被害に遭ったと報告している。やはりＡＩを用いて作った声で財務の幹部に電話をかけ、緊急の送金をさせるというやり方だった。シマンテック社は企業名を明かさなかったが、被害額は数百万ドルに上ると発表した。詐欺による真の損失を数値化することは難しいが、何兆ドルにも上ると推定される。会計事務所のクロウ・クラーク・ホワイトヒルとポーツマス大学の詐欺対策研究所が発行した年次報告書によれば、２０１９年の世界の詐欺による損失は５兆１２７０億ドルに上ったという。損失は過去10年で56パーセントも増加している。[12] インフォカリプスの発生に伴い、急増しているのだ。ディープフェイクがもっと普及すれば、この傾向は続くだろう。

私は、元情報部員で現在は国際法律事務所ウィルマーヘイルの弁護士をしているマシュー・Ｆ・フェラーロと話をした。この法律事務所は、ディープフェイクとニセ情報がビジネスに大きなリスクをもたらすという警告を発している。現在、リスク対策の中で「ニセ情報」は一般的なリスクよりも優先順位が低いが、ニセ情報のリスクと積極的に戦う特別なツールや戦略が必要になるのは時間の問題だと、マシューは話す。信用調査会社エクスペリアンも同意見で、２０２０年には、ディープフェイクが大企業を混乱に陥れる、ありふれた脅威になると予言した。２０２０年に急増しなかったとしても、いずれそうなることは確かだ。犯罪者は必ずディープフェイクを使うだろう。ディープフェイクは、大金をだまし取る〝打ち出の小づち〟になる可能性がある。

気をつけなくてはいけないのは企業だけではない。個人も攻撃を受けるだろう。ＡＩによって生み出される合成メディアの進化はすさまじく、ディープフェイクを作り出すのに必要な訓練データの量は、どんどん少なくなっている。これは動画にも音声にも言えることだ。２０１７年に設立されたライアバードは、わずか数分間の訓練データがあれば本物そっくりのディープフェイクの音声を作ることができると断言する。[13] 将来は、数秒の音声データがあればできるようになるかもしれない（ライアバードは、文章の編集と同じように音声を編集する技術を開発しているディスクリプトという会社に買収された）。つまり、危機にさらされているのは、人前に出て注目される頻度が高く、訓練データが手に入りやすい人々だけではないということだ。

誰でも標的になり得る。ソーシャルメディアに多くの投稿をしている人なら、投稿されたコンテンツから情報を盗まれる可能性がある。ソーシャルメディアを使っていなかったとしても、友人や家族が投稿しているかもしれない。プロが撮影する映画や写真に、たまたま写っている可能性だってある。電話が盗聴されているかもしれないし、私的な写真や動画が盗まれてディープフェイクの製作に使われるかもしれない。

写真、動画、音声など、どんな形であれ、一度でも視聴覚記録を残したことがある人なら、理論上はディープフェイク詐欺の被害者になり得ると言っても過言ではない。ディープフェイクは、インターネットバンキングへの侵入から、困窮している家族や友人を装った詐欺まで、多くの方法で用いられるようになるだろう。だまされやすいと思われがちな高齢者や社会的弱者は、これまでも詐欺の被害に遭うことが多かった。しかし、ディープフェイクが用いられるようになると、非常に優れた判断力や豊かな知識があっても、だまされてしまう可能性があるのだ。

ビジネスへの打撃

新しい情報のエコシステムの中では、あらゆる組織や個人が詐欺の被害に遭うリスクが高まっている。そして誰もが誤情報やニセ情報のターゲットになり、評判やビジネス、暮らしを台無しにされる可能性がある。しつこいようだが、ニセ情報や誤情報を流される風評被害のリスクは昔からあるが、インフォカリプスの状況下では、リスクが圧倒的に高まっているのだ。ビジネスの世界ではすでに、インフォカリプス関連の経費がかさんでいる。２０１９年にイスラエルのサイバーセキュリティー企業ＣＨＥＱとボルチモア大学が共同で発表した報告書によると、ビジネスにおけるインターネット上のニセ情報対策のコストは年間７８０億ドルだ。[14]

２０１９年には、大物投資家たちを手玉に取ろうとするやからにディープフェイクが使われた。世界的な電気自動車メーカーのテスラは、イーロン・マスクという型破りな設立者がいることでも有名だ。マスクもテスラも、好き嫌いが分かれる英国の食品「マーマイト」に似ている。みんな「大好きか大嫌い」なのだ。テスラの将来性についての投資家たちの見解は、はっきり二分されている。「強気」の投資家は、今のテスラは過小評価されているが、未来の交通を変える企業だと思っている。一方、「弱気」な投資家は、テスラが過大評価されており、破綻は免れないと思っている。この市場の綱引きには、莫大な投資額が絡んでおり、負けた側の代償は大きい。

今のところまだ、強気の投資家が優勢だ。2019年末からテスラの株価は急上昇した。2020年1月の終わりまでのS&P500種株価指数（米国の上場している500銘柄で構成される株価指数）は3パーセントの上昇だったが、テスラの株は30パーセントも上昇していたのだ。同月、テスラは時価総額1000億ドルとなった。[15]同年初めから、テスラの空売り筋（弱気の投資家）は何十億ドルもの損をした。1月だけで損害額が90億ドルになったという説もある。[16]『フィナンシャル・タイムズ』紙によれば、テスラの空売り筋の1月の損失額は、「S&P500種の企業の中で最大で（中略）、アップルの空売り筋の含み損13億ドルの4倍以上だった」という。[17]

テスラと空売り筋の戦いが過熱すると、マスクは公然と空売り筋を侮辱した。フォロワー数3600万人のツイッターで、非難や挑発をしたのだ。実際に数十億ドルがかかっている上に、公の場でのマスクとの言葉の応酬にまで引きずり込まれそうな状況に置かれ、空売り筋の投資家たちは当然のように神経をとがらせていた。この緊迫した雰囲気の中、2019年3月、ブルームバーグの上級のジャーナリストだというメイジー・キンズリーが、テスラ株を注視している投資家195人とリンクトインでつながった。さらに彼女は、テスラの大物空売り筋たちのツイッターアカウントをフォローし始めた。そしてそのうちの何人かにメッセージを送り、個人情報や金融情報を聞き出そうとしたのだ。

空売り筋の一人がメイジーのツイッターアカウントを見て疑いを持ち始めた。ウェブサイトやリンクトインのプロフィールを読むと一見ジャーナリストのようだが、名前の下にブルームバーグや他の信用できるニュースサイトに関する記述がまったくなかったのだ。ジャーナリストなのに、報道関係の執筆歴がまったく書かれていないのは不自然だった。彼は、いら立ちを募らせる他の空売り筋たちに、メイジーは市場動向に関する情報を盗み出そうとしている誰かのなりすましだと警告した。結局、メイジーというジャーナリストは存在せず、GANを使って作られたディープフェイク写真を使用したなりすましだということがわかった。写真は、「この人物は存在しない」(https://www.thispersondoesnotexist.com/)というウェブサイトを利用して無料でダウンロードした可能性がある。後にブルームバーグは、メイジー・キンズリーという従業員はいないと断言している。

「メイジー」が与えた損害はわずかだったが、これは警告だ。AIがもっと進歩すれば、市場や投資家は危険にさらされる。ディープフェイクは個々の投資家の評判を傷つけることもできる。例えば、投資家が不正行為を「認めた」ニセの音声テープを「漏洩」させるということも可能になるのだ。メイジーの事件からわかるように、ディープフェイクは相場に影響を与えるような情報を引き出すこともできる。2019年のメイジーの事件は、一枚のディープフェイク写真を使ってリンクトインやツイッターのプロフィールを作成しただけだったが、将来的には、例えばビジネスリーダーや大物投資家にインタビューをしているディープフェイク動画を作成して「なりすましアカウント」の信ぴょう性を高め、ターゲットを信用させて「友達」になることも可能になるだろう。メイジーのようなAIで作った人格でも、本物の人間と交流を重ねれば、信ぴょう性の高い架空の経歴が出来上がるはずだ。

悪ふざけが好きなCEOがいるテスラは、ケーススタディーとしても興味深い。実際にCEOが突拍子もない発言をするため、例えば「マスク」が財務情報を明かしているディープフェイク動画が「漏洩」すれば、どのように市場が動くかといったことが検証できるのだ。これまでのマスクの行動は、実際に株価の変動に影響を与えている。2018年8月、「テスラの株式を一株当たり420ドルで非公開化する」、「資金は確保した」とツイートした話は有名だ。結局、それは嘘の情報だったことがわかり、『ウォール・ストリート・ジャーナル』紙は後に、マスクはガールフレンドのウケを狙って420という数字を出しただけかもしれないと報じている（420は大麻を表す隠語のため）。

ただ、このツイートの内容はテスラの投資家にとっては重要な情報であり、テスラの株価は急騰した。後に米国証券取引委員会（SEC）は、投資家を誤認させ市場を操作したとして、マスクとテスラ社にそれぞれ2000万ドルの罰金を科している。証券取引委員会との交渉の末、マスクはテスラの会長を退き、テスラに関するツイートを投稿する場合は事前に審査を受けることに合意した。約束は全然、守られていない。2020年5月1日、マスクが「テスラの株は高すぎると思う」とツイートし、テスラの時価総額は140億ドル下がった。後に、ある証券アナリストがマスクについて、これは「イーロンがイーロンだから」起きた出来事で、「投資家にとっての頭痛の種」であり、ウォールストリートは彼のツイートが巻き起こす「市場を騒がせる問題」に「明らかにいら立っている」と、ロイターに話している。[18]

マスクが公然と繰り返してきた奇抜な言動が、会社やその価値にどれほどの影響を与えてきたかを振り返れば、マスクをターゲットにしたディープフェイクのコンテンツによって、どれほど大きく市場が動くかが容易に推測できるだろう。将来、デマの拡散、株価を暴落させる組織的な作戦、ＣＥＯの評判を落とす策略など、民間企業に対する攻撃は今よりはるかに増えるだろう。ビジネスの世界ではすでに、そんなことが当たり前のように組織的に行われるようになってきており、「ブラック広告企業」が「ニセ情報を貸し出す」サービスを提供して、敵や競争相手の信用を傷つけようとしている。『バズフィード・ニュース』の調査によると、ロシアのような国家が得意としていたニセ情報作戦が、民間企業に対して用いられるケースが増えている。バズフィードが見つけたあるブラック広告企業は、「あらゆる手段と強みを活用して、顧客の望む通りに現実を変える」ことを約束しているという。[19] ディープフェイクが広く犯罪に用いられるようになれば、企業を攻撃し、市場をゆがめる武器となるのは避けられそうにない。

すべての女性が被害者に

個人に対する極めて悪質な攻撃は、ディープフェイクが初めて登場したときから行われてきた。リスクにさらされているのは、ラナ・アイユーブのような政治ジャーナリストやスカーレット・ヨハンソンのような有名女優だけではない（第1章と第4章参照）。すべての女性がディープフェイク・ポルノの被害者になり得るのだ。私たちの妻や娘、姉妹、母親に危険が迫っている。ディープフェイクは、普通の女性を巻き込む、同意なきフェイクポルノの最新の形だ。ＡＩの時代になる前から、フェイクポルノは女性の人生を台無しにしてきた。どんな形のフェイクポルノであろうと、被害者はさらし者にされたという屈辱や恐怖に打ちのめされる。インターネットの使用、就職や通勤が困難になり、心が休まることがなくなる。当たり前の暮らしを安心して営む権利が脅かされるのだ。ボストン大学ロースクールでプライバシーの研究を主導するダニエル・シトロン教授は、ディープフェイク全般と同意のないポルノでの使用について語ってきた。ディープフェイク・ポルノは、いずれもっと全般的な人権侵害が起きる前兆だと考えていると言う。私たちの外見や声が盗まれ、その結果プライバシーや安全に暮らす権利が脅かされると言うのだ。

オーストラリア出身の若い女性ノエル・マーティンは、同意のないフェイクポルノによって悲惨な体験をした一人だ。試練が始まったのはわずか17歳の時だった。たいていの人は一度はやったことがあると思うが、ある日、ソーシャルメディアに投稿したことのある写真を用いて、グーグルで自分自身を検索したのだ。その結果を見て、心臓が止まりそうになった。その忌まわしい瞬間のことを、次のように振り返っている。

その写真と私のソーシャルメディアから盗まれた何十枚もの写真が、あっという間に画面を埋め尽くした。写真にはポルノサイトのリンクが貼られていた。これらのサイトで、名前も顔もわからない性的搾取《さくしゅ》者が、私に関して非常に露骨な性的コメントや、私に対してしたいことを公言していた。「顔を覆って犯したい」と書いている人もいた。住所や学校、属性など、私を特定できる情報も書かれていた。[20]

ノエルが被害に遭ったのはディープフェイクが出現する前だったため、性行為をしているポルノ女優の顔に、フォトショップを使って彼女の顔を貼り付けるというような原始的な方法が使われていた。ノエルのような被害者は珍しくない。インターネット上で食い物にされている何千人という普通の女性の一人にすぎないのだ。さらに悪いことに、誰にも助けてもらえないことがわかった。警察に行っても、あまりできることはないと言われた。ポルノサイトが外国のウェブサイトである場合が多く、犯人の名前もわからない。一か八か、ノエルは一つ一つのウェブサイトに連絡を取り、すべてを削除するよう運営者に通知した。しかし結局、フェイクポルノのもぐらたたきゲームをしているような泥沼にはまってしまった。やっとのことでいくつかのコンテンツを削除させることに成功しても、どんどん新しいコンテンツが現れる。脅迫メールを送ってきた運営者もいた。24時間以内にヌード写真を送ってくれれば、フェイクポルノを削除すると言われたのだ。数年に及ぶあこぎな運営者たちとの戦いの末、ノエルは2016年の自分の経験を公の場で話すことにした。ノエルの告発がきっかけとなり、オーストラリアでは2019年、性的な写真の同意なき配信を犯罪とする新しい法律が導入された。

残念ながら、次々と新しい問題が発生し、解決が追いついていない。ディープフェイク・ポルノはすでにいろいろな形で商品化され、ディープフェイクを製作する多くのサービスやアプリが登場している。例えば、2018年にはディープヌード（DeepNude）という無料でダウンロードできるアプリが出現した。服を着た女性の写真をアップロードすると、その女性を裸にしたフェイク写真を作ることができるというアプリだ。GANが使われており、わずか30秒で写真の女性を裸にすることができた。写真をアップロードする以外、利用者には何の技術も必要ない。アプリが作り出す写真には、大きな透かしが入っていて、50ドルの有料版アプリを購入すると外すことができる。有料版でも小さな透かしが入っており、写真がフェイクであることを表示している。ディープヌードアプリは裸の女性のデータだけを使って訓練されているため、男性には使えない。男性の写真をアップロードしても、男性器ではなく女性器を持つ裸体になるのだ。

このアプリを発見したのは、マザーボードのジャーナリスト、サマンサ・コールだ。「ワンクリックであらゆる女性の写真を裸にする恐ろしいアプリ」という見出しの記事で、アプリを痛烈に批判した[21]。サマンサの意図に反し、この記事は知らせるべきでない人々にアプリの存在を知らせてしまった。記事が掲載されるや否や、ものすごい反響があったのだ。ダウンロードが集中して、ディープヌードのサーバーがクラッシュし、つながらなくなるほどだった。開発者たちは、サマンサの記事がインターネット上で発表されてから24時間で10万件近いダウンロードがあったと推定している。結局、批判が殺到したことから、開発者は、世の中はまだディープヌードアプリを受け入れる準備ができていないようだと述べ、アプリを利用停止にした。だが開発者たちの懐には、まもなく大金が転がり込む。翌月、ディープヌードのシステムをオンラインオークションで売り出すと、匿名の入札者によって3万ドルで落札されたのだ。

ディープヌードアプリのソフトウエアは、姿を変えて流通している。ディープフェイクの調査会社ディープ・トレイスの脅威情報部門のトップであるヘンリー・アジャーによると、現在、トレントという高速ダウンロードの仕組みを使ったさまざまなウェブサイトでそのソフトウエアをダウンロードできるという。またディープ・トレイスは「ディープヌードの改良バージョンだというサービスを提供している二つの新しいポータルサイト」を確認した。料金は写真1枚につき1ドルもしくは1カ月使い放題で20ドルだ。

ディープヌードのソフトウエアは、ダウンロードできるようになった瞬間から、「製作者の手を離れ」、今では流通を止めることは極めて困難になった。ソフトウエアは「ウイルスのように広がって変化を続け、同意のない女性のディープフェイク・ポルノを生み出す人気ツールを作り出す。利用するのは簡単で、被害を防ぐのは難しい」[22]。ディープヌードアプリは、裸の女性の写真を生成するのにGANの技術を用いていた。現在、フェイクポルノ動画の製作には第1章で記した顔入れ替えの技術が使われているが、まだうまく作るには一定のレベルの技術が必要だ。しかし合成メディアを作る技術が発展するにつれ、ディープヌードや顔入れ替えのようなアプリなど子供だましだったと思えるような、革新的な手段が現れるだろう。

ワールド・ワイド・ウェブの設立者ティム・バーナーズ＝リーは、インターネット上における女性や少女たちの「危険が増大している」と懸念を表明した。性的嫌がらせ、脅迫メッセージ、差別などによって、インターネットが女性にとって安全な場所ではなくなっているのだ。彼の言葉をそのまま借りると、「インターネットは、女性と少女のためになっていない」[23]。だがインフォカリプスにおいては、女性や少女だけでなく、男性や少年たちもインターネット上で被害者になる危険が増している。今までのディープフェイク・ポルノの標的はほぼ女性だったが、例えば同性愛者のディープフェイク・ポルノが世界のどこかで誰かの人生や自由を奪う可能性もあるのだ。そんなことが起きるのも、そう遠い将来のことではないだろう。

ピザゲート事件に見る情報の混乱

インフォカリプスの状態が悪化すると、個人も組織も、入念に仕組まれたニセ情報によ る攻撃の標的になるリスクが高まるだけでなく、情報が錯綜《さくそう》して、他のターゲットに対す る攻撃の巻き添えになる可能性も高くなる。雪だるま式に膨れ上がるデマには、たとえ悪意が含まれていなくても、人生やビジネスを破壊する力がある。ディープフェイクが出現する前のことだが、「ピザゲート」と呼ばれるひどい事件が起きた。情報が危険な武器となっている現在の環境の中では、ちょっとした事柄がどれほど大変な事態に発展し得るのかを示す教訓となっている。

２０１６年の米大統領選挙戦の最中にヒラリー・クリントンのＥメールがロシアにハッキングされたことから始まったピザゲート事件は、危うく悲惨な結末を迎えるところだった。投票の1カ月前、ヒラリー・クリントンの選挙陣営の責任者であったジョン・ポデスタが送受信した大量のＥメールが盗まれ、「ハクティビスト」（ハッキングを手段とする活動家）であるウィキリークスに送られてウェブサイトで公開された（現在もまだダウンロード可能。[24]熱心な民主党の選挙活動家でクリントン夫妻のために働いてきたポデスタは、ハッキングの犯行声明を出したロシアの軍事情報部の「グシファー2・0」と名乗る人物の餌食となったのだ。Eメールの内容は、リゾットのレシピのようなたわいのない文面から、ヒラリー・クリントンが大金を受け取ってウォールストリート関係者に向けて行った私的な講演の記録など、政治上の大問題となるようなものまであった。

まもなくインターネット上では、重箱の隅をつつくようなメールの内容のチェックが始まり、レディットや4チャンネルのような電子掲示板で、摩訶不思議な陰謀論がささやかれるようになった。ジョン・ポデスタ、ヒラリー・クリントン、バラク・オバマは、エリートばかりが集う小児性愛者の組織のメンバーで、ワシントンD.C.のピザ店の地下で活動しているということが、Eメールからはっきりと読み取れるというのだ。どうしてこんな話になったのだろうか。実は、会合に関するEメールで「ピザ」や「チーズピザ」といった単語が使われていたのだが、これがインターネット上の隠語では児童ポルノを意味するのだ。

陰謀論者は、こじつけが得意だ。例えば、問題のピザ店はコメット・ピンポンという店名だが、CPという頭文字は児童ポルノを表す（チーズピザもCPだ）。この店の店主のジェームズ・アレファンティスがリベラルな民主党支持者の組織と関係があったことも、さらなる「証拠」とされた。ジェームズ・アレファンティスという名前を声に出して読むと、「私は子供を愛している」という意味のフランス語「ジェム、レゾンフォン」に似ているというのも、「しるし」とされた。アレファンティスのインスタグラムのアカウントのコンテンツも火に油を注いだ。子供の写真があり、その中の一人がピザを食べていたのだ。他にもオバマ大統領がホワイトハウスで少年と卓球（ピンポン）をしている写真もあった。これらが、アレファンティスが病んだ小児性愛者の組織とつながっている「証拠」だと説明された。

ピザゲート事件を取り上げたウェブサイト、ブログ、フォーラムが次々と出現した。例えば、ワードプレスというサービスを使って匿名の人物が作った「ｄｃピザゲート」というブログでは、噂が本当だということを長々と力説している。冗長で要領を得ない文章で、Ｅメールについて、「これが暗号でなければ、意味がわからない。これが本当にただのピザ（中略）の話だとしたら、ポデスタの弁護団や主要メディアの誰一人として、それがどういう意味なのか筋の通った説明ができていない」と主張している。[25] さらにアレファンティスのインスタグラムのプロフィールは異常だと指摘し、「彼のインスタグラムへの投稿を見て、鳥肌が立たなかったら教えてくれ」と述べている。[26] また、投稿されている写真を一枚一枚解説し、小児性愛者の組織を運営しているに違いないという話に持っていく。その上、小児性愛だけでなく、恐ろしい悪魔崇拝の儀式に心酔しているとまで書いているのだ。

どれもこれもばかげた話に聞こえるし、実際そうだ。へんてこりんな話ばかりなのだ。だがどういうわけか、ピザゲート事件の噂は広まる一方だった。レディットにはこの作り話に熱中する人々のグループがあり、2万2000人ものメンバーがいる。コメット・ピンポンの店の前にも、抗議者がちらほら集まり始め、アレファンティスと小児性愛者の組織に加わっているとされた人々を非難した。アレファンティスは後に、このときの嫌がらせについてこう振り返っている。

メッセージやコメントが殺到した。ソーシャルメディアの個人メッセージが1日に75件くらい届いていた時期もあった。私はすべて無視することにして、コメントを削除し、返信しないようにした。そのうちほとぼりが冷めるはずだと思っていたのだ。だが実際にはエスカレートし続けた。物騒なメッセージもたくさん寄せられた。「銃を持っている。殺してやりたい」というものや、「誰かがアサルトライフルを持ってコメットに押し入り、中にいる人々を皆殺しにしますように。お前の腹をかき切り、はらわたが床に飛び出すのを見たい」といった血生臭いメッセージもあった。私はノートパソコンを見ないようにして、普通通りに日々をやり過ごした。ソーシャルメディアの利用者が、「市民による独自調査」を始めたときには、いよいよ恐ろしくなった。私のソーシャルメディアのプロフィールを調べ上げ、私の投稿に「いいね」やコメントをしてくれたことのある人々に対して、見境なくメッセージを送り始めたのだ。友人、家族、顧客たちから、インターネット上で脅されたという連絡が来るようになった。[27]

事態はさらに悪化する。ポデスタのEメールがウィキリークスで公開されたのは、2016年の10月と11月のことだった。ドナルド・トランプが当選した後、嫌がらせは止まるだろうとアレファンティスは思っていた。だがそうはならなかった。2016年12月

4日、ライフル銃AR－15を手にした男がコメット・ピンポンに押し入り、数発発砲したのだ。幸いなことに負傷者はいなかった。そもそも地下室など存在しないのだが、犯人のエドガー・マディソン・ウェルチは子供がいないことに満足し、店を出て警察に投降した。警察には、小児性愛者の組織の噂を「独自調査」するため、カリフォルニア州北部の家から首都ワシントンまで運転して来たと話した。その後、ウェルチには4年の実刑が宣告されたが、それでもインターネット上ではピザゲート事件が終わることはなかった。なんと陰謀論者たちは、ウェルチの襲撃は真実から自分たちの目をそらすために仕組まれた「やらせ」だと思ったのだ。

この奇想天外な事件から、インフォカリプスにおいては、ばかげた噂がどれほどエスカレートし、拡散されるかがわかる。「ピザ」の話をした2通のEメールがもとで、小児性愛者組織に捕らえられた子供を逃がそうと、銃を持った男が店を襲撃するような事件が起きるのならば、ディープフェイクが加わったら、どんな重大な出来事に発展するか想像してほしい。クリントンとアレファンティスが未成年者への性的虐待の話をしているニセ動画でも作られていたらどうなっていたことだろう。単独犯による銃撃事件どころではすまなかったかもしれないのだ。アレファンティスの「日常」は戻っていない。陰謀を信じ続けている人々がいて、相変わらず嫌がらせを受けているのだ。後に、「あのときからいつもおびえています。今でも殺すと脅されているのです。出かけるときには帽子とサングラスが欠かせません。警備員にも『ああ、危ないよ』と言われます」と話している。[28]

ピザゲートは常識では考えられないような事件だが、アレファンティスが巻き込まれたこの騒動は、インフォカリプスが現実の世界をいかに変容させているかを示している。情報の環境がもっと汚染され、腐敗が進めば、個人や企業が標的にされたり、巻き添えになったりする危険がさらに増していくだろう。

第6章
世界を震撼させる
新型コロナウイルス

本書の執筆中に世界が未曽有の危機に襲われ、インフォカリプスのあらゆる特徴が浮き彫りになるとは、思ってもみなかった。新型コロナウイルス感染症（Covid－19）のパンデミックは世界中を巻き込んでいる。呼吸困難になるなどして、命を落とす恐ろしい感染症だ。生き残っている私たちも、目に見えない死刑執行人によって首に縄をかけられ、今にも命と暮らしを奪われようとしている。前例のない出来事で、終息のめども立たない。皆が死の恐怖にさらされながら、閉ざされた暮らしを強いられている。ますます危険で信用できないものになっている情報の環境の内部構造に関するケーススタディーとしては、うってつけの状況だ。

中国の対応

私が最初に武漢で感染症が発生していることを知ったのは、2020年1月末の凍てつく冬の夜のことだ。まさにヨーロッパに初めてウイルスが侵入した日でもあった。夕刊のニュースの解説のためにロンドンのスカイ・ニュースに向かいながら、翌朝の新聞の初校の見出しに目を通していると、重篤な呼吸器系の病を引き起こす恐ろしいウイルスが武漢に出現し、数週間のうちに、何十人もの人々が命を落としたことが書かれていた。中国では旧暦の最大の祝賀行事の一つである春節が目前に迫っており、大事な家族とともに祝うために、何百万人もの人々が、国内や世界を縦横に移動する予定になっていた。

中国政府は徹底的な対策をとることを決定する。一夜のうちに、武漢とその周辺の地域を封鎖したのだ。約２５００万人が隔離された。人類史上最大規模の防疫のための都市封鎖だった。しかし非常ブレーキを踏んだ中国政府でさえ、新型コロナウイルスの爆発的な感染を抑えることはできなかった。数カ月にわたって本書の執筆を続けるうちに、私はインフォカリプスの特徴を説明するのに、新型コロナウイルスの危機が格好の材料であることに気づいた。

第2章では、インフォカリプスという概念を地政学的な視点で説明し、インフォカリプスの状況になるずっと前から、ロシアがその精神を取り入れていたことを記した。今やインフォカリプスは世界にまん延しており、ロシアは相変わらず、やる気満々だ。例によって政治的な目的を達成するために、インフォカリプスの状況を利用しようとしている。まるで感染症作戦の増強版のように新型コロナウイルスを利用し、世界中の標的を分断させ、かく乱しているのだ。感染が広がるや否や、ロシア政府は昔ながらの流儀で米国の生物兵器戦争計画と結びつけた。米国がナチスから「ファシストの技術」を取り入れ、遺伝子操作によって病気を作り出そうとしていると、ソ連が米国を非難していた冷戦時代を彷《ほう》彿《ふつ》させる。ロシア政府は、新型コロナウイルスが中国を標的にした米国の「生物兵器」だと主張したのだ。新型コロナウイルスが米国を襲うと、ロシアの主張は一転する。すでにワクチンを開発したと思われる米国の製薬会社が、金儲けをするためにウイルスを作ったと言い出した。

ロシアは新型コロナウイルスを利用して、米中関係をさらに悪化させることに成功した。例によって「分断とかく乱」の戦略を用い、新型コロナウイルスは中国政府が作った生物兵器であり、中国の5Gのネットワークの構築と関連があるというデマを広めたのだ。特にウクライナでは、実際よりも状況が悪化しているかのようなデマを拡散して恐怖をあおった。そのため、ウクライナの田舎の村では、武漢から避難してきたウクライナ市民が到着すると暴動が起きた。抗議活動をする人々が道路を封鎖し、避難者の乗るバスに石を投げたのだ。事態を収拾するために治安部隊が出動しなければならないほどだった。[1]

英国のボリス・ジョンソン首相が新型コロナウイルスに感染して入院すると、ロシアの情報操作は過熱する。ジョンソン首相は自力で呼吸をすることができず、人工呼吸器が必要な状態だというデマが拡散され、英国政府は必死にこれを否定した。

しかし、インフォカリプスはもはや、ロシアの独壇場ではない。利用しようとする国はどんどん増えている。新型コロナウイルス感染症の発生によって、中国の戦術にも転機が訪れた。それまで中国が行っていた情報操作は、主として検閲とねつ造による徹底的な統制だった。しかし2020年3月からは、混乱を引き起こしてウイルスの発生源をうやむやにしようと、ロシア風の戦略を取り入れたのだ。昔からニセ情報のアナリストは、ロシアは「混乱」を、中国は「統制」を戦略として用いるという見方で一致していた。中国が両方の戦略を併用するようになったというのは、大きな変化だ。

中国が新型コロナウイルスの対策として行っている情報作戦は、大きく見て三つの要素で構成されている。一つ目は検閲だ。新型コロナウイルスが武漢で発生した当初、中国当局はパンデミック発生のニュースと中央政府に対する批判をことごとく排除した。リスクを軽視し、最初に警鐘を鳴らした人々の口を封じ、死者数を実際よりも少なく発表したのだ。武漢市中心医院で働いていた眼科の李文亮（リ・ウェンリャン）医師は、悲劇の人物として名を残すことになる。2019年12月末、新しい感染症についての警告をまっさきに発しようとしたところ、当局に連行され、「公の秩序を乱す」嘘の発言をしたと記された文書に署名させられた。[2] さらに残酷な運命が待ち受けており、李文亮は新型コロナウイルス感染症にかかり、幼い息子と身重の妻を残して世を去ってしまう。亡くなる前に世界中の人々に英雄だと認められ、『ニューヨーク・タイムズ』紙のインタビューでは、「もし政府がこの伝染病に関する情報をもっと早く公開していたら、状況はだいぶましだったと思います」と答えている。[3]

新型コロナウイルス感染症が、山火事のように中国の外に広がり始めても、中国共産党はソーシャルメディアも含めた情報統制を続けていた。トロント大学のある調査によると、2019年12月から、中国のソーシャルメディアのアプリでは感染拡大に関するキーワードが検閲に引っかかっていたようだ。2020年2月までには、新型コロナウイルスへの政府の対応に関する批判的な意見はもちろん、中立的な意見も遮断された。一方、インターネットを管理する政府機関は、ウェブサイト、プラットフォーム、アカウントにおいて「有害な」コンテンツの投稿や「恐怖の拡散」をした場合には、処罰するという警告を国民に向けて発した。

この中国の一連の行動により、中国内だけでなく世界中の人々が危険にさらされることになった。英国議会の外交委員会は中国を批判し、中国当局が「データを不明瞭にして」、公衆衛生機関や他国の政府を「意図的に間違った方向に導いた」ことにより、「パンデミックの初期段階に十分な分析をする極めて重要な機会を逃した」と報告している。[4] 委員長のトム・タジェンダットは中国について、他国が迅速に強力な対策を取れるよう支援することを怠り、「政権のイメージを守るために、ウイルスに関する極めて重要な情報を操作したことがますますはっきりしてきた」と述べた。[5]

中国共産党は、この感染症の流行で失うものの大きさを理解している。それが情報操作の二つ目の作戦に力を入れた理由だ。国を挙げて、中国が責任感のある、善良な国家だというイメージ作りにまい進したのだ。中国内ではこの危機をうまくコントロールできているると大げさに報道するとともに、いわゆる「マスク外交」を展開した。主に西側諸国に対し、ウイルス対策に必要な資材や人材を送って支援をしたのだ。国営メディアの新華社通信がソーシャルメディアに投稿した写真に、英国のヒースロー空港に到着した中国からの支援物資の箱が写っているのを見つけたとき、私は中国のイメージアップ戦略だと確信した。箱には「落ち着いてコロナウイルスを治そう」というラベルが貼られていた。[6] また、発生当初、中国が情報を隠蔽していたとして責任を追及されると（実際に隠蔽していたのだが）、中国の大使は、今大事なのは「責任の追及」ではなく、「しっかりと団結することだ」と答えている。[7]

中国による三つ目の戦略は、特にウイルスの起源に関する情報のかく乱だ。手始めに2020年3月、外交部報道官の趙立堅が、新型コロナウイルスを「中国ウイルス」と呼ぶのは「事実無根」と述べた。そしてそう呼ぶ人たちには「中国の責任にしよう」という「魂胆」があると主張した。

3月12日、趙立堅は「非常に重要」というコメント付きで、新型コロナウイルスの起源を米国とするデマが書かれた記事のリンクをツイッターに投稿する。さらに、米国政府がウイルスについて「知っていること」を隠していると非難した。[8]

それに続いて、中国大使と国営メディアの支局が口をそろえて、新型コロナウイルスの起源は中国以外の国であり、米軍によって武漢に持ち込まれた可能性があるという考えを表明している。[9] おそらくこれも、中国政府が初期対応の失敗をごまかすために行った強硬策の一環だ。

イランや北朝鮮をはじめとする国々も、新型コロナウイルスに関連した情報操作を始めた。能力や戦術にばらつきはあるが、大体において、国内の情報の検閲や西側諸国を中傷するデマの拡散、個人データのハッキングや監視の強化のために新型コロナウイルスを利用している。イラン政府は、市民が喉から手が出るほど欲しがっている健康情報を提供する際に、スパイウエアを混入させ、市民の動きを追跡しようとした。インフォカリプスを利用しようと活動を強化している悪質な国が増えているのは、憂うべき兆候だ。これを警告ととらえ、今後こういった傾向がどのように発展し加速するか、注視していかなければならない。

パンデミックとトランプ

パンデミックの最中、西側諸国でもインフォカリプスの影響が一段と顕著になってきた。再び、米国の事例を見ていこう。トランプは独自のニセ情報を連発してパンデミックと戦おうとしており、その対応は客観的に見て惨憺《さんたん》たるものだ。

トランプ政権は、新型コロナウイルスに隙を突かれた。パンデミックの初期の兆候を無視し、他国のような初期対応を怠ったのだ。私がこれを書いている今、米国ではすでに10万人以上が新型コロナウイルス感染症で命を落としており、感染率は世界で一番高い。本を正せば、2018年4月にホワイトハウスの国家安全保障会議（NSC）で、パンデミック対応を任務とするチームを廃止したのがまずかった。公衆衛生当局の予算も繰り返し削減している。将来のパンデミックの発生を予告する、「プレディクト（予測）」という予算2億ドルの早期警告プログラムも廃止していた。[10]

ドイツ、ニュージーランド、韓国などが、迫りくるパンデミックを深刻に受け止め、ICU（集中治療室）のベッドや人工呼吸器を準備し、検査能力の拡充や、感染者との接触を追跡するシステムの構築に奔走している間、トランプ政権は何もしなかった。スイスのダボスで開催された世界経済フォーラムの年次総会で1月22日に、トランプは初めてパンデミックへの関心の有無を問われた。武漢が封鎖され、ヨーロッパで最初の感染が確認される数時間前の出来事だ。「まったくないね。我々は完璧にウイルスをコントロールできている」と答えている。

この無神経な反応に危機感を強め、2018年にトランプがクビにした専門家たちは、『ワシントン・ポスト』紙に寄稿した。「パンデミックは避けられない」と警告し「コロナウイルスの感染爆発が始まる前に対策を打つ」よう、政府に要請したのだ。「原因不明の肺炎」のすべての患者を、中国への渡航歴の有無にかかわらず検査するよう求めた。[11] それでもトランプは、刻一刻と近づいてくる嵐を無視し続けた。それればかりか新型コロナウイルスに関するデマを積極的に拡散したのだ。2月の集会では、ウイルスは「気温が高くなれば死ぬ」か「そのうち（中略）奇跡のように消える」から、「みんな大丈夫だ」と豪語した。さらに、民主党が新型コロナウイルスという新たな「デマ」を政治利用しているのだと非難し、対応をおろそかにした。「(これまでの奴らのデマは）みんなひっくり返った。(民主党は）しくじって、みんなひっくり返ったんだ。考えてもみろ。考えてもみろ。これはやつらの新しいデマだ」と集会でまくしたてたのだ。[12]

3月の半ばには、米国で新型コロナウイルス感染症と確認された患者の数は倍増し、

1万人となった。それでもトランプは、何もかも大丈夫だと言い張っていた。「我々は素晴らしい成果を上げている。我々の国はとても素晴らしい成果を上げている」と言い続けたのだ。政府の対策の遅れは明らかだとして責任の所在を問われると、「いや、まったく私には責任はない」と答えた。現在では株価は急落し、2008年の大不況以来の大暴落となっている。3月20日には、ゴールドマン・サックスが米国のGDPは2020年の第2四半期の終わりまでに29パーセント縮小し、失業率は急上昇して少なくとも9パーセントになるだろうと警告した。ついにトランプも対応が必要だったことを悟る。その3日前の2020年3月17日、集まった記者たちに「これはパンデミックだ」と伝え、「パンデミックと言われるようになるずっと前から、パンデミックだと思っていたよ」と付け加えた。[13]

危機の深刻さにようやく気づいたトランプは、ニセ情報を連発し始めた。数カ月後に大統領選を控えていることもあり、自らの対応の失敗の責任転嫁に全力を注いだ。

トランプの頭痛の種は、新型コロナウイルスによってインフォカリプスの危険性（および自分がその片棒を担いでいたこと）が露呈したことだった。悪質な情報が危険なのは言うまでもない。ただ、パンデミックの状況下では、文字通り命取りになるのだ。新型コロナウイルスと戦うためには正確な情報が必須であり、皮肉にもトランプは、政府の対応への信頼を高めるために、公衆衛生の専門家を探し出さなければならなくなった。ただその一方で、誤情報やニセ情報の拡散も積極的に続けた。代償がさほど大きいものでなければ、喜劇になっていただろう。

トランプは科学顧問たちとも対立している。米国立アレルギー感染症研究所の所長で79歳のアンソニー・ファウチは、トランプと完全に拮抗する存在だ。ホワイトハウスの新型コロナウイルス対策のタスクフォースのメンバーとして、大統領と共に記者会見に臨んできた。トランプが3月半ばの記者会見で米国国務省を「影の国務相」呼ばわりしたとき、一瞬顔をしかめ、手のひらで顔を覆うしぐさをしたことが、インターネットで話題になった。彼はそれ以来、政府内では危うい立場に追い込まれたものの、知名度を生かして米国民に新型コロナウイルスの情報を伝えてきた。インフォカリプスを体現し、誤解を招く危険な情報を流すトランプとは対照的に、ファウチ博士は、事実に基づいた信頼できる情報を発信する。選挙を数カ月後に控える中、米国は、現実とは思えないインフォカリプスの状況に陥っていた。代表的な公衆衛生の専門家は、大統領に同席して国民に向けて情報を発信していたが、しまいには双方の意見が食い違うようになったのだ。一番象徴的な出来事は、ホワイトハウスの演壇で、「消毒液」を「体内に注射するか（中略）、一掃するような[14]」方法でウイルスを除去できるのではないかと発言したトランプを、長いことトランプに振り回されてきた科学顧問（このケースではデボラ・バークス博士）が無表情で黙って見ていたことだ。

治療法に関する危険極まりない発言はさておき、トランプは味方と共に、米国内のパンデミックの責任追及をかわそうと、民主党が弾劾手続きを行って対策を妨害したせいだと非難した。対外的には、中国に対する攻撃的な情報作戦を開始した。この米中間の言葉の応酬は世界中に重大な地政学的影響を及ぼすだろう。トランプは、パンデミックのことを意に介していないと公言した2日後の2020年1月24日、ダボスで中国について楽観的に語っていた。「中国はコロナウイルスの封じ込めに懸命に取り組んできた。その努力と透明性に米国は大いに感謝する。すべてうまくいくだろう。米国民を代表して、特に習に感謝したい」とツイートしていた。裏側では、ウイルスに関する情報をもっと明らかにするよう習近平主席に圧力をかけてほしいと側近に求められていたが、トランプは二度にわたってこれを拒否した。[15] 当時は、長きにわたる米中間の貿易摩擦を緩和しようとしており、中国との関係が「これまでで一番良く」、自分が習近平と「素晴らしい関係」であるという好意的な公式声明を繰り返し発表していたのだ。

実際には、米中関係は緊迫しており、急激な関係悪化の寸前だった。新型コロナウイルスによる危機が深刻化すると、それが現実のものとなる。「素晴らしい関係」と言っていたトランプは3月になるとがらりと態度を変え、新型コロナウイルスを「武漢感染症」や「中国ウイルス」と呼び始めた。外交上は軽はずみな発言だったが、客観的事実ではある。新型コロナウイルス感染症は中国で発生したのだ。もちろん、だからといって事が収まるわけではない。それどころか、それはトランプによる責任転嫁の始まりにすぎなかった。それ以来、米中間の非難の応酬は激化し、緊張は高まるばかりだった。トランプは、中国政府のパンデミック対応を見る限り、11月の選挙における自分の再選を阻止するためなら、「なりふり構わず何でもする気だ」と断言した。[16] 必ず「責任」を負わせると約束し、「大規模な調査」を行うと脅して中国の隠蔽を非難するという、以前とは真逆の態度に出たのだ。4月には、新型コロナウイルスを武漢の研究所と関連づけるよう、トランプ政権の幹部が米国の各情報機関に圧力をかけたと『ニューヨーク・タイムズ』紙が報じている。情報機関は、激化する中国との争いの「政治的武器」として使われることを懸念し、ホワイトハウスの要求を拒否した。中国が感染症の流行に関する情報を隠蔽したのは事実だが、ウイルスが武漢の研究施設で作られたという証拠はない。[17] そして米国の各情報機関は、新型コロナウイルスが「人工のウイルスや遺伝子操作によって作られたウイルスではない」という共同声明を発表した。トランプはその数時間後、新型コロナウイルスが武漢の研究施設で作られたという説を裏付ける証拠を見たと主張している。トランプのメッセージには効果があったようだ。調査会社ユーゴブ（YouGov）とヤフーニュースの調べでは、トランプ支持者の58パーセントが「中国の科学者が研究所で新型コロナウイルスを作り、それがたまたま漏れ出した」というトランプの言葉を信じていた。[18]

新型コロナウイルス感染症と陰謀論者

新型コロナウイルスに関するトランプのニセ情報は米国の内外を問わず有害だ。そして、トランプは指折りのインフルエンサーだが、新型コロナウイルスに関する誤情報やニセ情報を広めている人間は他にもいる。パンデミックによって陰謀論が過熱しているのだ。英ノーザンブリア大学で心理学の上級講師を務めるダニエル・ジョリーは、陰謀論の根底には「権力者の集団が己の利益のために何かをたくらんでいる」という意識があるのだと説明する。危機に見舞われると陰謀論が活気づき、説得力を増すのは、危機に理由を与える陰謀論が、人々が危機の中を歩んでいく際の拠り所となるからだ。ジョリーが説明するように、「信じられるものが必要だと感じる」ときに人々は陰謀論に行きつくのだ。[19]

米国では、小児性愛者のエリート組織の存在など、「闇の国家」の存在を信じている陰謀論者のグループQアノンが、マイクロソフトの創業者ビル・ゲイツが新型コロナウイルスを作ったという陰謀論を広めている（第5章のピザゲート事件でもわかるように、世界を支配するエリートたちの小児性愛者組織があるという陰謀説はインターネット上にあふれている）。ビル・ゲイツが新型コロナウイルスのワクチン接種キャンペーンを口実にして、何十億もの人々にマイクロチップを植え込み、行動を監視しようとしているというのが一つの説だ。先ほど述べたヤフーニュースとユーゴブの調査では、共和党支持者の44

パーセントがこの陰謀を信じており、それゆえ新型コロナウイルスのワクチンが開発されたら接種を受けるという人は米国民のわずか50パーセントだ。[20]

当然のことながら、ビル・ゲイツの陰謀説は、国際的な反ワクチン団体にも影響を与えている。反ワクチン団体は、自分や子供が感染症を予防するワクチンの接種を受けることを拒む人々のグループで、その規模は拡大しつつある。ワクチンを拒む理由はさまざまだが、中にはワクチンが自閉症の原因だと信じている人々もいる。反ワクチン運動の歴史は長いが、インフォカリプスの発生に伴い、その勢いと支持者の数が増している。その結果、西側諸国でも麻疹のような病気の緊急レベルの流行が再燃しているのだ。反ワクチン団体は国外の敵の標的になりやすい。ロシアは実際、アフリカ系米国人を利用するのと同じように、反ワクチン派を利用している。[21] 新型コロナウイルスという脅威に直面しても、反ワクチンを強硬に主張し続ける人々もいる。インフルエンサーの一人である歌手のM.I.A.は、ワクチンを打つくらいなら「死を選ぶ」と主張した。[22] 世界一のテニス選手ノバク・ジョコビッチは、移動の際に「ワクチンの接種を強制されたくない」から、競技に復帰しないかもしれないとほのめかした。[23]

一方、英国では悪名高い陰謀論者デイビッド・アイクが、新型コロナウイルスは5Gのネットワークによって拡散されたと吹聴した。この男は、次元間を移動できるアルコーンという爬虫類《はちゅうるい》のような生物が地球を乗っ取っていて、世界のエリートや英国王室の一員のふりをして暮らしているのだという説を唱えている。国家の安全保障や中国が重要な情報インフラを供給することへの不安に突け込んだ5Gの陰謀論は、新型コロナウイルスの危機が起きる前から存在していた。その陰謀論が発展し、新型コロナウイルスまで取り込んだのだ。英国では、これが危険な動きにつながっている。私がこれを書いている今、ネットワークのアンテナなどへの放火が70件以上、5Gプロジェクトの中心的な役割を担っている従業員に対する嫌がらせ事件も180件以上報告されている。[24]

新型コロナウイルスに関係する初めてのディープフェイク動画も出現した。まさしく、ディープフェイクが政治的なダメージを与える武器として使用された典型例だ。動画を製作したのは、エクスティンクション・レベリオン（XR）という環境活動グループのベルギー支部で、その内容は、ベルギーの首相だったソフィー・ウィルメスがSARSやエボラ、新型コロナウイルスといった世界的な伝染病は「人間が自然環境を開発し、破壊したこと直接関係している」と話している、ニセのスピーチだ。[25] 動画の中の首相は、XRの考え方を読み上げている。

コロナウイルスは見過ごしてはならない警告です。（中略）パンデミックは、もっと深刻な生態系の危機の結果の一つです。我々は政策立案者として、生態系の崩壊の深刻さを理解できていませんでした。しかし今、新型コロナウイルスの危機によって、私たちが大きく変わらなくてはいけないことに気づきました。私たちは暮らし方を変えなければなりません。今すぐに変えなくてはならないのです。[26]

XRの活動家の責任者は、動画作成の方法は明かさなかった。フェイスブックに動画が「フェイク」であることは表示したが、タイトルにはっきりと示しはしなかった。動画の下のコメントを読むと、多くの視聴者が本物の首相の発言だと信じたことがわかる。

パンデミックを利用する独裁者と犯罪者

新型コロナウイルスを取り巻く、信用できない危険な情報は世界中に飛び交っている。インドではヒンドゥー至上主義の与党であるインド人民党が、この危機を利用して国粋主義的なエセ科学を奨励し、神聖な牛のふん尿が治療に有効だなどという主張をした。ブラジルのジャイール・ボルソナロ大統領は、新型コロナウイルス感染症は「ちょっとした風邪」だとして、ロックダウンやソーシャルディスタンスは必要ないと主張し、マスコミは「過剰反応」していると非難した。

南米に新型コロナウイルスが上陸したのは、他の大陸よりも後だったが、これを書いている今、ブラジルは米国に続き世界で2番目に感染率が高く、死者数も急増している（現時点で世界第6位）[27]。インペリアル・カレッジ・ロンドンの研究によると、流行中の48カ国の感染率を分析したところ、最も感染率が高いのはブラジルだった（基本再生産数が2・81）[28]。さらにボルソナロ大統領は、州知事や市長が導入したソーシャルディスタンスやロックダウンといった適切な対策を公然とばかにし、やめさせようとして、混乱を助長し続けた。感染者の急増についてジャーナリストに質問されると、「だから何だ。俺にどうしろって言うんだ」と答えている。[29]

ロシアも同様の危機的状況になっており、ブラジルが追い越すまで、世界で2番目の感染率だった。ロシア政府は2020年3月の時点で、自国の被害はそれほど大きくなさそうだと拙速な判断をし、米国をはじめとする国々に支援物資を送った。流行のタイムラグを有効活用して万全の準備に充てる機会を逸したのだ。数週間後にはロシアが米国から人工呼吸器を輸入する事態になる。[30] 皮肉にも、自身が指摘していた西側のリーダーの愚かさを、自ら露呈することになった。

だが、活発な動きを見せていたのは、政治家や陰謀論者、独裁国家だけではなかった。詐欺師や泥棒、サイバー犯罪者たちもそろって活気づいた。例えば、パンデミックを利用して金儲けをしようと、ニセの治療薬を売る詐欺師が現れた。3月には国際警察インターポールが、ニセ薬や違法な医薬品を取り締まるパンジア作戦というプログラムを実施し、3万4000点以上の新型コロナウイルス関連のニセの製品を押収した。ニセの医療用マスクや基準を満たしていない手の消毒液、未承認の抗ウイルス薬までさまざまな物があった。[31]

サイバー犯罪者にとっても最高の環境になった。個人、組織、ビジネスから搾取《さくしゅ》する完璧な条件が整っている。何億もの人々がロックダウン下に置かれ、情報が欲しくてたまらない中、サイバー犯罪を実行するのは朝飯前だ。フィッシング詐欺が急増し、個人情報が盗まれている。公衆衛生当局（例えば世界保健機関）を装ったEメールを送りつけ、クレジットカード番号などの個人情報を盗み取るマルウエアをダウンロードさせる手口が多い。イランに至っては、国家がスパイウエアを仕込んでいた。在宅勤務になった人々のため、企業がリモートワークのシステムを早急に整える必要に迫られ、セキュリティー面がおろそかになるケースが多かったことも、新型コロナウイルス感染症を利用したサイバー犯罪をますます容易にした。

新型コロナウイルス感染症の発生により、腐敗しつつある私たちの情報エコシステムの危険性が浮き彫りになった。このウイルスに関しては未知の事柄がとても多いため、その空白を悪質で信用できない情報が埋める余地があるのだ。新型コロナウイルスの危機の中で、インフォカリプスの恐ろしさがあらわになっている。その中で生きている以上、誰もがその影響を受けるのだ。

第7章

まだ、希望はある

世界中に広がるインフォカリプスの危険性を理解していただけただろうか。情報が置かれている環境がすっかり腐敗し、あらゆる情報が信用できなくなる未来が、もうそこまで来ている。

この事実を知った人間として、これ以上状況を悪化させず、改善するためにできることは何だろうか。私としては、分極化したインフォカリプスや政治活動の舞台に引きずり込まれることなく、小さくても意味のある方法で、一人一人の努力と熱意を壊れた環境の修復に向けることが一番大切だと思う。まず、冷静にならなくてはいけない。海で離岸流に巻き込まれたときに助かるためには、流れに逆らうのではなく、横に向かって泳ぐことが大事だ。同じように、インフォカリプスに抵抗するためには、その中で溺れるのではなく、外に逃れる必要がある。情報のエコシステムの中身ではなく、構造に目を向けるのだ。「混乱を極めたディストピア」が永遠に続くことを阻止するには、理解を深め、守備を固め、反撃することが必要だ。

一、理解を深める

相手をよく知らなければ、戦うことはできない。簡単なことだと思うかもしれないが、とんでもない。すでに数十に上る人々や組織がこの分野にかかわっているが、とりわけディープフェイクに関しては、問題に取り組む際の基本となる考え方や分類が確立されていないのだ。ディープフェイクなどの脅威に適切に対処するには、明確で一貫性のある概念的枠組みを構築する必要がある。本書が少しでもその役に立てば幸いだ。繰り返し言うが、次の事柄を知っておかないと大変なことになる。

私たちの情報のエコシステムは、信用できない危険な状態に陥っている。「ニセ情報」、「誤情報」、「陰謀」、「フェイクニュース」といった言葉は、特に新型コロナウイルスの関連でよく耳にするようになった。この傾向が、情報のエコシステム全体に広がる深刻な腐敗のほんの一端であることを説明するために、的確な言葉が必要だった。そして、2016年にアビブ・オバディアが作った「インフォカリプス」という言葉にたどり着いた。

ここ10年で進行したインフォカリプスは、今後もっと広がるだろう。「悪質な情報」は昔からあったが、今私たちが直面している脅威は、これまでのものとは規模も影響力も違う。インフォカリプスがいつから起きているか正確にはわからないが、21世紀の現象であることは確かだ。今世紀になって、情報のエコシステムは、インターネット、スマートフォン、ソーシャルメディア、コミュニケーションの手段としての動画など、人々の交流手段の技術革命と結びついた。今、私たちは急速に進化するディープフェイクという新しい脅威に直面している。本書で説明したように、インフォカリプスにおける誤情報とニセ情報による危機は、現実の世界であらゆる人々を脅かすことになるだろう。

ディープフェイクは最新の脅威だ。ディープフェイクは周囲の環境と関係なく降ってわいたわけではない。ディープフェイクに立ち向かうというのは、私たちの情報の環境の健全さを守るという、もっと大きな挑戦の一環だ。ディープフェイクに関しては、分類を定めることが非常に重要だ。「ディープフェイク」は、一般的な顔入れ替えや、ポルノ動画における顔入れ替えなど、あらゆる合成メディアを一括りにした言葉として用いられてきた。私は「ディープフェイク」を、悪意をもって使われた合成メディアという意味で用いることを提案したい。合成メディアは有益なことに使用されるケースも多いので、分けて考えることが重要だ。大切なものを不要なものと一緒に捨ててはいけない。

ディープフェイクの脅威に対処する時間は、まだ残されている。合成メディアを作り出すAIは誕生したばかりなので、今ならまだ、この技術の発展の仕方や産物を軌道修正する余地がある。合成メディアの製作、表示、識別についての基準を定める、重要なチャンスを逃してはならない。迅速な対応が求められている。今こそ、AIが生み出す合成メディアを共有したり受け取ったりする際の基準を定めると同時に、誤った使い方に警鐘を鳴らさなければならない。

二、守備を固める

インフォカリプスについて理解ができたら、守りを固めよう。

正確な情報　インフォカリプスに対する防御で一番大切なのは、何といっても正確な情報を得るようにすることだ。新型コロナウイルス感染症のパンデミックによって、それがいかに重要なことか示された。これまで以上に、信用できるジャーナリズムとファクトチェック団体（情報の正確性を検証する組織）を支えていく必要がある。ファクトチェックに関しては、すでに数十もの団体が存在する。米国では、２００８年の大統領選挙の際のファクトチェックでピュリツァー賞を受賞したポリティファクトの他、スノープス、ＡＰファクトチェック（ＡＰ通信社から）などがある。ヨーロッパでは、ＡＦＰ通信ファクトチェック、フルファクト、そしてＢＢＣのリアリティーチェックの3団体が有名だ。

加えて、インフォカリプスにおけるニセ情報とそれによる情報戦に焦点を当てた、新しい調査組織もある。その一つであるベリングキャットは、誰もがアクセスできるオープンソースの情報を用いて真偽を見極めることで、世界的に知られている。[1]エリオット・ヒギンズが設立したこの団体が、マレーシア航空17便撃墜へのロシア軍の関与を立証したことは有名だ。

インターネットのニュースを読む際にも、誤情報やニセ情報から身を守る手段がある。例えばニュースガードという企業は、今読んでいるニュースがどれだけ信用に値するかを教えてくれるブラウザーの拡張機能を開発した。１カ月２ドル95セントで、４０００以上のニュースや情報のサイトにおける情報の信用度を知ることができる。信用度を評価しているのは、アルゴリズムではなく、訓練を受けたジャーナリストだ。ニュースガードを利用すれば、各サイトの運営者や資金源、信用度がわかる。[2] またニュースガードは無料のニュースレター「ミスインフォメーション・モニター」を毎月配信して、質の高い情報を提供している。[3]

インフォカリプスにおいては取材も容易ではなくなってきているため、それをサポートする研究も進んでいる。例えば２０１５年に設立されたファースト・ドラフト・ニュースは、講座とエッセンシャル・ガイド・シリーズという手引書でジャーナリストや研究者を支援している。[4] ファースト・ドラフトはさらに、パートナーシップ・オン・ＡＩという、責任あるＡＩの使用を研究する非営利組織とともに、将来、合成メディアであることを表示する方法を検討する研究プロジェクトを進めている。フェイクのコンテンツに「フェイク」という表示をすればいいという考え方は、迅速で簡単な解決方法として推奨されることが多いが、その良し悪しはまだこれから判断する必要がある。例えば、悪質な情報を増やすような予想外の弊害が潜んでいないだろうか。[5] 情報のエコシステムが崩壊する中、学術団体も、質の高いジャーナリズムを将来にわたって維持するための研究を始めている。有名なのはオックスフォード大学との共同研究を行うロイター・ジャーナリズム研究所[6]の他、デューク・リポーターズ・ラボ、[7] ハーバード大学のニーマン・ジャーナリズム・ラボによる研究だ。[8]

人間は心理学者が「幻想の真実」と呼ぶ、勘違いを起こしやすい。長い時間、何かを見聞きしていると、たとえそれが嘘であっても真実だと錯覚してしまうのだ。従って、誤った思い込みを避けるためには、間違いや嘘を速やかに排除し続ける必要がある。日頃から、ここで紹介しているような団体の力を借りることが、インフォカリプスに対抗する第一の手段だ。誤情報やニセ情報に慣れ親しむほど、それに感化されてしまう。そうならないためには、政治の世界全般で何が起きているのか、「野放しの」チープフェイクやディープフェイクがどのように使われているかに目を向ける必要がある。それを見極めるのは、一人一人の責任だ。信用できる関係機関に頼る機会を増やすほど、自分自身や仲間、そして社会を守る術を身に付けることができる。

技術的ツール　防衛の二つ目の手段は、信頼できる人々が作り上げた技術的ツールの利用だ。技術というのは人間の意思の増幅器にすぎないので、悪いことにも良いことにも使える。２０１７年に初めてディープフェイクを発見したとき、私はロンドンにあるＡＩ企業ファカルティと仕事をしていた。ファカルティはかつて、過激派組織「イスラム国」（ＩＳ）の宣伝動画を発見するためのＡＩソフトウエアを英国政府のために作ったことがある。[9]ＩＳの宣伝動画を使って機械学習システムを訓練し、インターネット上に動画が投稿されると特徴を「認識」して発見できるようにしたのだ。[10]

ファカルティとともに私たちが目指していたのは、それと同じような原理をディープフェイクの発見に応用することだった。つまり、自動的にディープフェイクを見つける機械学習システムを作ることだ。当時、「改ざんの捜査」はまだ比較的新しい分野で、私が知る限り、この分野の本格的なプログラムはまだ一つしかなかった。最先端のテクノロジーを研究する米国の軍事機関、国防高等研究計画局（DARPA）が開発したメディフォー（MediFor）だ。「自動的に改ざんを発見」し、「改ざんの方法についての詳細な情報を提供する」プラットフォームの構築を目的としていた。[11]

その後、改ざんの捜査の分野は大きな進化を遂げた。2018年時点での主な課題の一つは、改ざんの検出システムを構築するための十分な訓練データがないことだった（ディープフェイクを認識するAIを作るためには、機械学習システムの訓練に使う大量のディープフェイクが必要だった）。その後、複数の大きなテクノロジー企業がAI研究者に資金と訓練データを提供したため、研究者たちは自分が作ったシステムの訓練ができるようになり、この分野が切り開かれた。2020年の初めには、フェイスブック、アマゾン、マイクロソフトとパートナーシップ・オン・AIが共同で主宰する「ディープフェイク発見チャレンジ」が開催された。50万ドルの賞金がかかった、ディープフェイク発見ツールの公開コンペだ。[12] グーグルの非営利組織ジグソーも、ニセ情報と戦うためのさまざまな技術を開発している。その一つであるアセンブラーは、新しい捜査技術を用いてファクトチェックや改ざんされたメディアの発見を目指す、実験的なプラットフォームで、

DARPAのメディフォーと似ている。[13] 他にも多くの企業が独自の捜査技術を開発しており、ディープ・トレイスもその一つだ。ニセ情報を捜査するソフトウエア製品「リアリティー・ディフェンダー」を開発したAIファウンデーションの研究も注目に値する。

合成メディアの質が向上すると、人間がディープフェイクを見破ることができなくなるため、AIを使った捜査ツールへの投資が必要になるのはわかる。しかし、この解決方法には落とし穴がある。ディープフェイクの捜査は延々と続くいたちごっこになりかねない。ディープフェイクを見抜くAIが進歩すると、ディープフェイクも進歩する。理論的には発見が不可能になるほど、合成メディアが進化を遂げる可能性もある。その段階に到達するかどうかは、まだわからない。

「捜査」だけでなく、メディアが真正なものであることを証明するための技術も開発されている。第4章で紹介した人権組織ウィットネスは、プルーフモードという、撮影された瞬間にメディアが本物であることを示す証明書を付けるアプリを開発した。世界の危険な地域で人権侵害を記録するウィットネスの活動家にとって、このアプリは重要な役割を果たしている。私が話を聞いたトゥルーピックという企業にも似たようなツールがある。特許を取得した独自の「撮影情報を管理する」ソフトウエアを使い、写真や動画がいつどのように撮影されたのかを証明する。トゥルーピックの戦略構想副社長ムーニル・イブラヒムは、特に保険会社のような民間企業にとって、これは重要な技術だと話す。保険金請求者の主張が真実か否かを確認する技術がなければ、ニセの視覚的証拠による保険金詐欺が横行し、保険会社が破綻してしまう可能性がある。そしてムーニルによれば、トゥルーピックはさらに先を目指しているという。記録された瞬間に、メディアが本物であるという証明書を付けるハードウエアの開発だ（つまり、携帯電話に直接組み込んで、その携帯電話で記録したあらゆるメディアに記録場所と時間を示す明瞭で消えないデータを付与することを目指している）。

ニューヨーク大学タンドン校工学部のプロジェクトでも、これと同じような考え方に基づき、カメラに直接ハードウエアを組み込み、1枚1枚の画像ファイルにデジタルウォーターマーク（電子透かし）を埋め込もうとしている。それによって、科学捜査の分析の際に写真が真正だということを証明するのだ。『ニューヨーク・タイムズ』紙のニュース・プロビナンス・プロジェクトはＩＢＭの資金提供を受け、出版社やプラットフォームと協力して、インターネット上の視覚的コンテンツの来歴を表示する方法を開発しようとしている。[14] 検討されているアイデアの一つは、改ざんを防ぐブロックチェーンという仕組みを使い、写真の来歴を確実に証明するというものだ。そうすれば間違った文脈で使用されるチープフェイクを防ぐことができる。[15] ＡＩの研究もニセ情報からの防御を固めることに貢献している。ワシントン大学、スタンフォード大学、マサチューセッツ工科大学、カーネギーメロン大学、南カリフォルニア大学、ミュンヘン工科大学などの研究が注目されている。

社会全体の協力　社会政策を通じて社会全体でインフォカリプスに立ち向かうという取り組みが、必要な防御手段の中で一番立ち遅れており、しかも一番複雑だ。これを前に進めるためには、安全と自由とプライバシーのバランスをどう取るか、もっと粘り強い議論が必要だ。一番の問題は、情報の良し悪しを誰が判断するかということだが、そもそも判断の基準がなければどうしようもない。また、バランスを正しく取ることは極めて重要だが、特に西側の民主主義諸国においては、一筋縄ではいかない。言論の自由や情報の自由と、誤情報やニセ情報によって引き起こされる脅威との調整は、ますます難しくなっているのだ。

この問題の複雑さは、ドナルド・トランプ大統領とツイッター社のやり取りからわかる。2020年5月に、トランプ大統領のツイートは「誤解を招く可能性がある」として、ツイッター社が初めて健全性に関する警告を出すと、トランプは、米国憲法修正第1条に掲げられている言論の自由を巡る戦いだという大仰な反応をした。問題となったツイートは、第3章で述べた、郵便投票は不正投票でありこれは「不正な選挙」だという主張をしたものだ。客観的に見て、トランプのこのツイートは誤解を招くものだった。米国の選挙の歴史を振り返れば、このような不正投票が行われる可能性は非常に低く、ましてや民主党が大々的に組織的な不正を働くなどということは考えられない。

憲法の専門家は、ツイッター社の警告は、憲法修正第1条違反とは程遠いもので、権利の範囲内の行動だと述べている。第一に、修正第1条は、政府の介入から民間企業を守る規定であり、大統領の意向に関係なく、ツイッター社は条件や方針を自ら決める権利がある。そして第二に、ツイッター社はトランプの利用を禁止したり、投稿を削除したりしたわけではなく、単に警告ラベルを付け、詳細情報のリンクを追加しただけなので、反論として保護される。それでも大統領は、「米国史上最も深刻な危機から言論の自由を守るため」と主張し、ツイッター社に対して大統領行政命令を発することを辞さなかった。[16] 法律の専門家は、トランプが自らのコンテンツに優遇措置を与えることを民間企業に強要するという、危険な法的先例を打ち立てていると指摘する。[17] このケースのような明らかに間違っている事柄でも、支持政党によって正否の判断が決まってしまう。ある世論調査によると、共和党を支持する有権者の77パーセントが、テクノロジー系の大企業は意図的に保守的な考え方に圧力をかけており、言論の自由への制約もその一つだという、トランプが繰り返す根も葉もない主張に同意している。

インフォカリプスから身を守る簡単な方法があるふりなどをしても、何も良いことはない。その複雑な課題を少しでも解決すべく、重要な取り組みが進められている。電子フロンティア財団、アバーズ（Avaaz）、PENアメリカ、アクセス・ナウそしてウィットネスなど、多くの組織が意欲的にこの分野にかかわっている。他にも、センター・フォー・ヒューメイン・テクノロジーなど、消費者の権利の側面からこの問題に取り組んでいる団体もある。規制当局やテクノロジー企業と共同で、大手のプラットフォームのビジネスモデルが、「インターネット中毒、過激な政治思想、誤情報」を生む一因となっている可能性を検証しているのだ。一方、アトランティック・カウンシルのディスインフォ・ポータル、EUの「フェイクニュースとオンラインのニセ情報に関する高度専門家グループ」などは、他国の政府による攻撃に対して効果的な対応を構築しようとしている。「EUvsDisinfo」というウェブサイトは、特にロシアのニセ情報に関する詳しい情報を提供している。学術機関もこの分野に貢献しており、スタンフォード大学のサイバー・ポリシー・センターやスタンフォード・インターネット観測所をはじめ、ハーバード大学のインフォメーション・ディスオーダー・ラボ、オックスフォード・インターネット研究所、テキサス大学のメディア・エンゲージメント・センターなどがよく知られている。

三、反撃に出る

「混乱を極めたディストピア」になるのを阻止するためのパズルの最後のピースは「反撃」だ。後手に回るのではなく、先手を打つことが肝要だ。もちろん一人の力で成し遂げられる挑戦ではない。皆の志を一致させることが大切だ。ロシアがガーナで行った干渉作戦である二重詐欺作戦を例にとってみよう。CNN、グラフィカ、フェイスブック、ツイッターが協力してロシアの策略を暴いた。その際は一回限りのプロジェクトのために各社の力が結集されたのだが、日頃から協力していけるような常設の仕組みがあれば、もっと有益だろう。

私が出会ったディープ・トラスト・アライアンスは、そういった協力の仕組みを構築する目的で設立された組織だ。設立者でCEOのキャスリン・ハリソンは、長いことIBMで働いていて、ニセ情報やディープフェイクのような複雑な問題の解決には、政策、技術、経済界が三位一体となる必要があると感じたという。[18]

その取り組みが容易ではないことをキャスリンは認めている。「人間という生き物は、常に足並みをそろえてやっていけるわけではありません。ですから、人々を集めて協力させ、意見を一致させるのは難しいのです」。それでも「点と点を結ぶ」ことを目指していると言う。[19] 進展が遅く、最初は小さな成果しか得られなくても、やるだけの価値があるとキャスリンは確信している。笑いながら、「私は楽観主義者。そうでなければこの仕事をしていないでしょう。（中略）高みを目指しているときは、小さな成功にも喜びを感じないとやっていけません」と話す。

キャスリンは正しい。点は結ばなければならないし、ささやかな成功であっても、歩みは始まっている。心強いことに、先制攻撃によってインフォカリプスに打ち勝った先例がある。例えば、人口130万人のバルト海沿岸の小さな国エストニアのケースだ。昔からソ連の情報作戦の標的となってきたこの国が、反撃の方法を学んだのだ。ソ連に50年間占領された後、1991年に独立を勝ち取ったエストニアは、ロシア政府の干渉を避けるため、速やかにNATOや米国と同盟を結んだ。しかし、ソビエト連邦の崩壊後も、ロシアは引き続きエストニアをソ連の衛星国のように扱っていた。

2007年、エストニア政府は、第二次世界大戦でエストニアを占領していたソ連軍の兵士の慰霊碑「タリンの兵士像」の移動を決定する。ロシア政府は遺憾の意を表明したが、エストニア政府は構わずに計画を進めた。その後まもなく、エストニア政府と報道機関、金融機関が、立て続けに悪質なサイバー攻撃を受ける。攻撃は3週間以上、続いた。ロシアは攻撃への関与を否定したが、エストニア政府は、銅像を移動した報復としてロシア政府が攻撃を仕掛けてきたことを確信していた。

エストニア政府はひるむことなく、それまでの教訓を生かし、防衛を強化するとともに反撃に出た。市民全員を動員し、社会全体で対応したのだ。第一の対策として、次にロシアがどこを攻撃するかを判断し、国内に流通するロシアのニセ情報を特定する早期警告システムを立ち上げた。例えば、「バルティック・エルブス」というボランティア団体が、インターネット上にロシアのニセ情報が出回っていないか監視した。第二の対策として、サイバー・ディフェンス・リーグというボランティアによるＩＴとニセ情報の専門部隊の協力で、インターネット利用者の防衛策の徹底に乗り出した。脅威となる情報を共有し、市民がサイバー犯罪に対処できるような備えをすることに主眼を置いていた。エストニアは現在、世界有数のデジタル大国だ。公共サービスの99パーセントがオンライン化されており、市民の3分の1がインターネットで投票を行い、防衛を強化して以降、ロシアに一度も突破されていない。第三の対策は、脅威に対して社会全体を動かしたことだ。２０１０年、エストニアは「心理的防衛」に重点を置いた長期的な国家防衛戦略を導入した。「社会の団結と安全意識に関する共通の価値観を育て、維持し、守る」という内容だ。[20]

私は、センチネルという団体のCEOで創立者のヨハネス・タメカンドに話を聞いた。サイバーセキュリティー、AIおよび政策にかかわるこの団体は、エストニア政府と協力し、ディープフェイクという新たな脅威への対策に取り組んでいる。エストニアがロシアのニセ情報対策で大成功を収めた理由については、ヨハネスは「多層の防御」を挙げた。「中世の城塞のようにしなくてはなりません。まず堀を作り、それから外壁、そして内壁です」と説明してくれた。エストニアは点と点をつなぐのがうまかった。国内の協力を強化するとともに、NATOの同盟国とも協力して意識を高め、防衛手段を整えた。ヨハネスは私に、「一部の人を一定期間だますことはできても、全員を常にだまし続けることはできません」と言った。結局、崩壊した情報のエコシステムの中で暮らしたいかどうかは、社会の問題なのだと彼は結論づける。エストニアの防衛策は、社会が危険に直面していると気づいたら、その瞬間に「ノー」と言う考え方を基本にしている。「このまま行けばどうなるか」を理解し、精一杯、反撃をしているのだ。

未来への希望

人類は、新しい発展の段階を迎え、コミュニケーションの方法が激変した。その副作用の一つとして、私たちの情報のエコシステムは急速に信用できない危険なものになっている。だが、希望はある。インフォカリプスに対抗する勢力がすでに集結し始め、力をつけている。私たちが脅威を理解できるよう支援し、皆を守るための解決策や協力体制の構築を始めている。ただし、私たちの協力も欠かせない。一人一人が脅威を理解し、守りを固め、反撃することが大切だ。もたもたしてはいられない。「混乱を極めたディストピア」が当たり前の世の中として定着するのを避けたければ、今やらなければならない。自分がシェアする情報に気をつけてほしい。情報源を確認しよう。何か間違った情報を得た場合には、自ら訂正してほしい。自分自身に政治的な偏りがないか気をつけよう。疑い深くなることは大事だが、歪曲した見方をするのも良くない。もっと詳しく知りたい方のために、巻末に関連団体の一覧を載せている。今こそ、皆で力を合わせるときだ。エストニアの人々がロシアに対してしたように、インフォカリプスに対して「ノー」を突き付けるチャンスは、まだ残されている。

関連団体一覧

■ファクトチェック団体

・AFP通信ファクトチェック―factcheck.afp.com

・APファクトチェック―apnews.com/APFactCheck

・BBCリアリティチェック―bbc.co.uk/news/reality_check

・スノープス―snopes.com

・フルファクト―fullfact.org

・ポリティファクト―politifact.com

■メディアの来歴

・コンテンツ・オーセンティシティ・イニシアチブ（アドビ）―contentauthenticity.org

・ディジマップ―digimap.edina.ac.uk

・ニュース・プロビナンス・プロジェクト―newsprovenanceproject.com

・プレスランド―pressland.com

■ニセ情報の捜査と防御

・アンプト―ampedsoftware.com

・AIファウンデーション―aifoundation.com

・ベリングキャット―bellingcat.com

・DARPA―darpa.mil

・EU対ディスインフォ―euvsdisinfo.eu

・トロント大学シティズンラボ―citizenlab.ca

・ディープ・トレイス（センシティ）―sensity.ai

・ジグソー―jigsaw.google.com

・ニュースガード―newsguardtech.com

・トゥルーピック―truepic.com

関連団体一覧

■ソーシャルメディアの分析

・ボッツウォッチ—botswatch.io

・データマイナー—dataminr.com

・グラフィカ—graphika.com

・ストーリーフル—storyful.com

■ジャーナリズム

・デューク・リポーターズ・ラボ—reporterslab.org

・クレディビリティ・コーリション—credibilitycoalition.org

・ファースト・ドラフト・ニュース—firstdraftnews.org

・ニュース・リテラシー・プロジェクト—newslit.org

・ニューヨーク市立大学ニューマーク・ジャーナリズム・スクール、ニュース・インテグリティ・イニシアチブ—journalism.cuny.edu/centers/tow-knight-centerentrepreneurial-journalism/news-integrity-initiative/

・ハーバード大学ニーマン・ジャーナリズム・ラボ—niemanlab.org

・パートナーシップ・オン・AI—partnershiponai.org

・ロイター・ジャーナリズム研究所—reutersinstitute.politics.ox.ac.uk

■政策／社会

・アクセス・ナウ—accessnow.org

・アライアンス・フォー・セキュアリング・デモクラシー—securingdemocracy.gmfus.org

・アンチ・ディファメーション・リーグ—adl.org

・センター・フォー・ヒューメイン・テクノロジー—humanetech.com/problem/

・テキサス大学オースティン校ムーディー・カレッジ・オブ・コミュニケーション、メディア・エンゲージメント・センター—mediaengagement.org/

・スタンフォード大学サイバー・ポリシー・センター—cyber.fsi.stanford.edu

・データ&ソサエティ、ディスインフォメーション・アクション・ラボ—datasociety.net/research/disinformation-action-lab/

・ディープ・トラスト・アライアンス—deeptrustalliance.org

・アトランティック・カウンシルのデジタル・フォレンシック・リサーチ・ラボとディスインフォ・ポータル—atlanticcouncil.org/programs/digital-forensic-research-lab/

・電子フロンティア財団—eff.org

・ハーバード大学ショレンスタイン・センター、インフォメーション・ディスオーダー・ラボ—shorensteincenter.org/about-us/areas-of-focus/misinformation/

・スタンフォード大学インターネット観測所—cyber.fsi.stanford.edu/io/content/io-landing-page-2

・オープンAI—openai.com

・PENアメリカ—pen.org

・パートナーシップ・オン・AI—partnershiponai.org

・南カリフォルニア大学アネンバーグ・イノベーション・ラボ、トゥルーシネス・コラボレーション—annenberglab.com

・ウィキメディア—wikimedia.org

・ウィットネス—witness.org

取材協力

アリーク・チャウドリー
フューチャー・アドボカシー、
シンクタンク部門長

アレグザンダー・アダム
ファカルティ、データ科学者

アンドリュー・ブリスコー
バンク・オブ・アメリカ・メリルリンチ、
EMEAエクイティ・キャピタル・マーケッツ・
シンジケート責任者

キャスリン・ハリソン
ディープ・トラスト・アライアンス、
設立者・CEO

ケイシー・ニュートン
ザ・ヴァージ、ジャーナリスト
（ソーシャルメディアと民主主義）

サマンサ・コール
マザーボード、ジャーナリスト

サム・グレゴリー
ウィットネス、プログラム・ディレクター

ジェニファー・メルチア
テキサスA&M大学コミュニケーション学部、
准教授

ジョルジオ・パトリーニ
ディープ・トレイス（現　センシティ）、設立者・CEO

ジョン・ギブソン
ファカルティ、最高商務責任者

ビクター・リパルベリ
シンセイジア、共同設立者・CEO

ヘンリー・アジャー
ディープ・トレイス（現　センシティ）、脅威情報部門長

マシュー・F・フェラーロ
ウィルマーヘイル、弁護士

ムーニル・イブラヒム
トゥルーピック、戦略構想副社長

ヨハネス・タメカンド
センチネル、共同設立者・CEO

レニー・ディレスタ
スタンフォード大学インターネット観測所、
テクニカル・リサーチ・マネージャー

後注

はじめに　世界はニセ情報であふれている

1　www.youtube.com/watch?time_continue=36&v=cQ54GDm1eL0&feature=emb_logo

2　www.youtube.com/playlist?list=PLrRN0OLd8VZc0EOdyukjieeuhf1vFVPr_

3　www.bellingcat.com/news/uk-and-europe/2015/10/08/mh17-the-open-source-evidence/

4　英国議会情報安全保障委員会、年次報告書2016-2017（2017年、英国政府刊行物発行所）p.52
https://sites.google.com/a/independent.gov.uk/isc/files/2016-2017_ISC_AR.pdf?attredirects=1

5　デジタル・フォレンシック・リサーチ・ラボ「検証：RTの軍事的役割」
https://medium.com/dfrlab/question-that-rts-military-mission-4c4bd9f72c88

6　ダレル・エザリントン「YouTubeの再生時間が1日10億時間に」2017年2月28日、テッククランチ・ドットコム
https://techcrunch.com/2017/02/28/people-now-watch-1-billion-hours-of-youtube-per-day/

7　「ロシアによるシリア空爆の90パーセント以上はISが標的ではなかったと米政府が発言」2015年10月7日、ガーディアン
www.theguardian.com/world/2015/oct/07/russia-airstrikes-syria-not-targetting-isis

8　リジー・ディアデン「ロシアとシリアは移民危機をヨーロッパを揺るがす"武器"にしたとNATOの司令官が主張」2016年3月3日、インデペンデント
www.independent.co.uk/news/world/middle-east/russia-and-syria-weaponising-refugee-crisis-todestabilise-europe-nato-commander-claims-a6909241.html

9　アンリ・ノイエンドルフ「ベルリン映画祭会期中、アイ・ウェイウェイが公開展示で溺死した難民を追悼」2016年2月15日、アートネット・ニュース
https://news.artnet.com/art-world/ai-weiwei-life-jackets-installation-berlin-427247

10　トッド・ベンセン「移民に紛れてテロリストがヨーロッパに侵入した事案に学ぶ、米国の国境の安全保障問題」2019年11月6日米国移民研究センター報告書
https://cis.org/Report/Terrorist-Migration-Over-European-Borders

11　シュテファン・マイスター「『少女リサの事件』：ドイツがロシアのデマの標的に」2016年7月25日NATOレビュー
https://www.nato.int/docu/review/articles/2016/07/25/the-lisa-case-germany-as-a-target-of-russian-disinformation/index.html

12　ベン・ナイト「ドイツ市民を激昂させた移民によるレイプ事件は作り話だったと10代の少女が認める」2016年1月31日、ガーディアン
https://www.theguardian.com/world/2016/jan/31/teenage-girl-made-up-migrant-claim-that-caused-uproar-in-germany

13 エイドリアン・クラサ、バレリー・ホプキンス、ガイ・チャザン、ヘンリー・フォイ、マイルス・ジョンソン「ヨーロッパの右派にロシアの影響力」2019年5月23日、フィナンシャル・タイムズ
www.ft.com/content/48c4bfa6-7ca2-11e9-81d2-f785092ab560

14 BBCニュース「ロシアのハッカーがマクロン大統領候補を“標的”に」
www.bbc.co.uk/news/technology-39705062

15 www.voteleavetakecontrol.org/briefing_immigration.html

第1章　ディープフェイクはポルノから始まった

1 マイケル・ウォータース「エイブラハム・リンカーンの立派な肖像ができるまでの苦労」2017年7月12日、アトラス・オブスキュラ
https://www.atlasobscura.com/articles/abraham-lincoln-photos-edited

2 ピーター・イーブス「人類の悲劇の足跡：デビッド・キング・コレクション」2018年7月、テイト・リサーチ・フィーチャー
www.tate.org.uk/research/features/human-tragedy-david-king-collection

3 同上

4 エリン・J・ニューマン他「雑学的知識が真実だと思うか誤りだと思うかは、判断の文脈によって決まる」
https://publications.aston.ac.uk/id/eprint/25450/1/Truthiness_and_falsiness_of_trivia_claims_depend_on_judgmental_contexts.pdf

5 クリス・エバンゲリスタ「映画『アイリッシュマン』のマーティン・スコセッシ、CGを使った“若返り”にこだわる」
www.slashfilm.com/the-irishman-cgi/

6 マット・ミラー「ディープフェイクを使うユーチューバーが『アイリッシュマン』のお粗末な若返りを7日間で修正」2020年1月7日、エスクァイア
www.esquire.com/entertainment/movies/a30432647/deepfake-youtube-video-fixes-the-irishman-de-aging

7 https://www.youtube.com/watch?v=dyRvbFhknRc&feature=emb_logo

8 サマンサ・コール「AIを使ったニセポルノ出現で騒然」2017年12月11日、ヴァイス
www.vice.com/en_us/article/gydydm/gal-gadot-fake-ai-porn

9 www.youtube.com/watch?v=FqzE6NOTM0g

10 www.youtube.com/watch?v=2svOtXaD3gg&t=194s

11 www.youtube.com/watch?v=_OqMkZNHWPo&feature=emb_title

12 ジョルジオ・パトリーニ「ディープフェイクの現状」2019年10月7日
https://medium.com/sensity/mapping-the-deepfake-landscape-27cb809e98bc

13 www.adultdeepfakes.com
（海外のアダルトサイトのURL。違法なコンテンツが含まれている可能性がある。）

14 ドリュー・ハーウェル「AIが生み出すポルノ動画についてスカーレット・ヨハンソンが語る『私の写真の切り貼りは誰にも止められない』」2018年12月31日、ワシントン・ポスト
https://www.washingtonpost.com/technology/2018/12/31/scarlett-johansson-fake-ai-generated-sex-videos-nothing-can-stop-someone-cutting-pasting-my-image/

15 www.youtube.com/watch?v=BxlPCLRfk8U

16「AIが生み出したファッションモデル、着せ替えやさまざまなポーズが可能に」2019年8月29日シンクト
https://syncedreview.com/2019/08/29/ai-creates-fashion-models-with-custom-outfits-and-poses/

17 www.youtube.com/watch?v=FzOVqClci_s

18 ティファニー・シュー「ESPNのコマーシャルは、ディープフェイクを使った次世代の広告を予感させる」2020年4月22日、ニューヨーク・タイムズ
https://www.nytimes.com/2020/04/22/business/media/espn-kenny-mayne-state-farm-commercial.html

第2章　ロシアが見せる匠の技

1 www.youtube.com/watch?v=bX3EZCVj2XA

2 チャールズ・ダーバリクス「陰謀論を信じていることが、アフリカ系米国人のHIV予防の妨げになっている可能性」2005年2月1日ポピュレーション・レファレンス・ビューロー（prb.org）
www.prb.org/conspiracybeliefsmaybehinderinghivpreventionamongafricanamericans/
（現在はページが見つからない。）

3 ロイター「ファクトボックス：2016年の選挙におけるロシアのサイバー攻撃に関する米国情報機関の報告」2017年1月7日
www.reuters.com/article/us-usa-russia-cyber-intel-factbox/factbox-u-s-intelreport-on-russian-cyber-attacks-in-2016-election-idUSKBN14Q2HH

4 同上

5 特別検察官ロバート・S・モラー3世、2016年大統領選におけるロシアの介入に関する調査報告　第1巻（2019年米国司法省）
www.justice.gov/storage/report.pdf

6 同上p.14

7 同上p.24-25

8 米国防総省と統合参謀本部「ロシアの戦略的意図」戦略的多層アセスメント（SMA）報告書2019年5月
www.politico.com/f/?id=0000016b-a5a1-d241-adff-fdf908e00001

9 https://intelligence.house.gov/social-media-content/social-media-advertisements.htm

10 ポリティコ編集部「ロシアが米国人に見せたかったソーシャルメディア広告」2017年11月1日、ポリティコ
https://www.politico.com/story/2017/11/01/social-media-ads-russia-wanted-americans-to-see-244423

11 モラー「2016年大統領選挙におけるロシアの介入に関する調査報告」p.29

12 同上p.31

13 アリ・ブリランド「ロシアがフェイスブックで呼び掛けた抗議集会に数千人が出席」2017年10月31日ザ・ヒル
https://thehill.com/policy/technology/358025-thousands-attended-protest-organized-by-russians-on-facebook

14 http://web.archive.org/web/20161113035441/https:/www.facebook.com/events/535931469910916/

15 サム・ハリス「#145 – 情報戦についてレニー・ディレスタと語る」2019年1月2日ポッドキャスト
https://samharris.org/podcasts/145-information-war/

16 ジョシュ・ハフナー「『アーミー・オブ・ジーザス』とは？　ロシアはどうやって米国のソーシャルメディアをかく乱したか」2017年11月1日、USAトゥデイ
https://eu.usatoday.com/story/news/politics/onpolitics/2017/11/01/onpolitics-today-army-jesus-how-russia-messed-americans-online/823842001/

17 同上

18 ジョーン・ドノバン「ミームはどのようにして武器となったか：小史」2019年10月24日、MITテクノロジーレビュー
https://www.technologyreview.com/2019/10/24/132228/political-war-memes-disinformation/

19 フィリップ・N・ハワード、バラス・ガネシュ、ディミトラ・リオツィオ、ジョン・ケリー、カミーユ・フランソワ「米国における、IRAとソーシャルメディア、そして政治の分極化、2012-2018」2018年12月英国オックスフォード大学、コンピューターによるプロパガンダに関するプロジェクト、調査結果報告書
https://demtech.oii.ox.ac.uk/wp-content/uploads/sites/93/2018/12/The-IRA-Social-Media-and-Political-Polarization.pdf

20 https://public-assets.graphika.com/reports/graphika_report_ira_in_ghana_double_deceit.pdf

21 同上

22 同上

23 同上

24 同上

25 ハワード他「米国における、IRAとソーシャルメディア、そして政治の分極化、2012-2018」

26 ブライアン・ベンダー「米国国防総省は、世界的な影響力でロシアが米国を打ち負かしていると報告」2019年6月30日、ポリティコ
https://www.politico.com/story/2019/06/30/pentagon-russia-influence-putin-trump-1535243?nname=playbook&nid=0000014f-1646-d88f-a1cf-5f46b7bd0000&nrid=0000016a-d0df-db42-ad6e-fedfc07f0000&nlid=630318

27 アンドリュー・デシデリオとカイル・チェイニー「モラーがトランプの『共謀も司法妨害もない』という発言に異議」2019年7月24日、ポリティコ欧州版
https://www.politico.eu/article/mueller-refutes-trumps-no-collusion-no-obstruction-line/

28 www.youtube.com/watch?v=LiaMIudqL1A

29 ブライアン・ベンダー「米国国防総省は、世界的な影響力でロシアが米国を打ち負かしていると報告」、注26を参照

30 サマンサ・ブラッドショーとフィリップ・N・ハワード「世界のニセ情報作戦の現状：2019年 組織的に行われたソーシャルメディア操作の全容」2019年3月英国オックスフォード大学、コンピューターによるプロパガンダに関するプロジェクト、調査結果報告書
https://demtech.oii.ox.ac.uk/wp-content/uploads/sites/93/2019/09/CyberTroop-Report19.pdf

31 ジェイコブ・N・シャピーロ「オンラインにおける他国への干渉の動向」2019年、紛争に関する実証研究
https://esoc.princeton.edu/publications/trends-online-influence-efforts

第3章　米国が占う西側諸国の未来

1 フリーダム・ハウス「世界における自由2020年版」
https://freedomhouse.org/report/freedom-world/2020/leaderless-struggle-democracy

2 www.allianceofdemocracies.org/wp-content/uploads/2018/06/Democracy-Perception-Index-2018-1.pdf

3 メーガン・ケニアリー「ドナルド・トランプはオバマ大統領の出生に関する疑問を唱えていた」2015年9月18日、ABC ニュース
https://abcnews.go.com/Politics/donald-trumps-history-raising-birther-questions-president-obama/story?id=33861832

4 グレン・ケスラー、スコット・クレメント「トランプは日常的にウソをついている。彼の言葉を信じている米国人はほとんどいない」2018年12月14日、ワシントン・ポスト
www.washingtonpost.com/graphics/2018/politics/political-knowledge-poll-trump-falsehoods/

5 「政府に対する国民の信頼度1958-2019」2019年4月11日ピュー研究所
www.people-press.org/2019/04/11/public-trust-in-government-1958-2019/

6 2015年のトランプの選挙演説の一節。以下のURLに全文。
https://time.com/3923128/donald-trump-announcement-speech/

7 www.kff.org/coronavirus-covid-19/report/kff-health-tracking-poll-may-2020/

8 マイケル・グリンバウム「トランプの記者会見が高視聴率を記録している。記者会見の生中継は是か非か」2020年3月25日、ニューヨーク・タイムズ
www.nytimes.com/2020/03/25/business/media/trump-coronavirus-briefings-ratings.html

9 マティアス・ルフケンス「ヒラリー・クリントン対ドナルド・トランプ、ツイッターでの勝負は?」2016年8月2日、世界経済フォーラム・ドットコム
https://www.weforum.org/agenda/2016/08/hillary-clinton-or-donald-trump-winning-on-twitter/

10 https://twitter.com/realdonaldtrump/status/949618475877765120?lang=en
(凍結中のアカウント)

11 https://twitter.com/realdonaldtrump/status/1021234525626609666?lang=en
(凍結中のアカウント)

12 マヌエラ・トビアス「CNNのホワイトハウス担当記者を出入り禁止にするためにサラ・サンダースが用いた改ざん動画の事実検証」2018年11月8日、ポリティファクト
www.politifact.com/article/2018/nov/08/fact-checking-misleading-video-sarah-sanders-used-/

13 ジョアンナ・ウォルターズ「CNNの記者ジム・アコスタの入館証取り消しをホワイトハウスが撤回」2018年11月19日、ガーディアン
www.theguardian.com/media/2018/nov/19/jim-acosta-white-house-press-pass-trump-administration-suspend-letter

14 マケナ・ケリー「トランプ、新たなペロシの動画でニセ情報政策を試す」2020年2月7日、ザ・ヴァージ
www.theverge.com/2020/2/7/21128317/nancy-pelosidonald-trump-disinformation-policy-video-state-of-the-untion

15 ファクトチェック17856「ファクトチェッカーが作成中の、大統領就任以来のトランプによる間違ったもしくは誤解を招く主張のデータベース」2020年5月29日、ワシントン・ポスト
http://wapo.st/trumpclaimsdb?claim=18486
(2021年1月20日にアップデート)

16 https://twitter.com/SilERabbit/status/1254551597465518082?s=20

17 キャサリン・シェーファー「過去2回の大統領選の年に比べ、はるかに多くの米国市民が『非常に強い』党派の対立を実感」2020年3月4日、ファクトタンク
https://www.pewresearch.org/fact-tank/2020/03/04/far-more-americans-see-very-strong-partisan-conflicts-now-than-in-the-last-two-presidential-election-years/

18 ジェニファー・メルチア『Demagogue for President: The Rhetorical Genius of Donald Trump（扇動政治家が大統領に：ドナルド・トランプというレトリックの天才）』を参照（2020年、テキサスA&M大学出版）

19 シェイアン・ガル、マリアナ・アルファロ「トランプ大統領、就任以来の有名な30の発言」2019年1月11日、ビジネスインサイダー
www.businessinsider.com/trump-quotes-since-becoming-president-2018-6?r=US&IR=T

20 ファクトチェック17639　「ファクトチェッカーが作成中の、大統領就任以来のトランプによる間違ったもしくは誤解を招く主張のデータベース」2020年5月29日、ワシントン・ポスト
http://wapo.st/trumpclaimsdb?claim=17939

21 https://twitter.com/realDonaldTrump/status/1265011145879977985
（凍結中のアカウント）

22 https://twitter.com/realDonaldTrump/status/1265608389905784834
（凍結中のアカウント）

23 オリバー・ダーシー「コロナウイルスで不安を感じている国民にメッセージを求めたNBC記者に、トランプが長々と暴言」2020年3月21日、CNNニュース
https://edition.cnn.com/2020/03/20/media/trump-rant-at-nbc-news-peter-alexander/index.html

24 モーガン・シャルファン「ホワイトハウスがトランプの『人間のくず』発言を擁護」2019年10月24日、ザ・ヒル
https://thehill.com/homenews/administration/467260-white-house-defends-trumps-human-scum-remark

25「検死の結果、ジョージ・フロイドの死は殺人によるものと発表」2020年6月2日、BBCニュース
www.bbc.co.uk/news/world-us-canada-52886593

26 モニカ・ロー「ロー：ジョージ・フロイドの最後の言葉は米国における黒人の人生の真実を語っている。私たちは耳を傾けているだろうか」2020年5月28日、ヒューストン・クロニクル
www.houstonchronicle.com/opinion/outlook/article/Rhor-Floyd-s-last-words-speak-truth-of-black-15302050.php

27 https://twitter.com/joshscampbell/status/1266805337652449283
（現在はページが存在しない）

28 https://twitter.com/realDonaldTrump/status/1266914470066036736?s=20
（凍結中のアカウント）

29 マイケル・S・ローゼンウォルド「マイアミ警察署長による1967年の悪名高い警告『略奪が始まれば銃撃も始まる』をトランプが引用」2020年5月29日、ワシントン・ポスト
https://www.washingtonpost.com/history/2020/05/29/when-the-looting-starts-the-shooting-starts-trump-walter-headley/

30 https://twitter.com/realDonaldTrump/status/1266711223657205763
（凍結中のアカウント）

31 https://twitter.com/realDonaldTrump/status/1266799941273350145
（凍結中のアカウント）

32 https://twitter.com/realDonaldTrump/status/1266799941273350145
（凍結中のアカウント）

33 マット・ザポトスキー「トランプは抗議を鎮圧するために軍を投入すると脅しており、おそらく法的には可能」2020年6月2日、ワシントン・ポスト
www.washingtonpost.com/national-security/can-trump-use-military-to-stop-protests-insurrection-act/2020/06/01/c3724380-a46b-11ea-b473-04905b1af82b_story.html

34 同上

35 クレイグ・ティンバーグ、トニー・ロム、アーロン・C・デイビス、エリザベス・ドゥウォースキン「2017年アラバマ州での選挙でロシア式の秘密作戦、民主党員に不安広がる」2019年1月6日、ワシントン・ポスト
https://www.washingtonpost.com/business/technology/secret-campaign-to-use-russian-inspired-tactics-in-2017-alabama-election-stirs-anxiety-for-democrats/2019/01/06/58803f26-0400-11e9-8186-4ec26a485713_story.html

36 www.newsguardtech.com/misinformation-monitor-may-2020/

37 https://projects.fivethirtyeight.com/polls/

第4章　翻弄される発展途上国の市民

1 https://www.statista.com/statistics/883751/myanmar-social-media-penetration/

2 ティモシー・マクラフリン「フェイスブックが激化させたミャンマーの混乱」2018年6月7日、ワイアード
https://www.wired.com/story/how-facebooks-rise-fueled-chaos-and-confusion-in-myanmar/

3 https://www.hrw.org/tag/rohingya

4 ジュリア・キャリー・ウォン「『失敗への過剰反応』：フェイスブックの新たなミャンマー戦略に地元の活動家は困惑」2019年2月7日、ガーディアン
www.theguardian.com/technology/2019/feb/07/facebook-myanmar-genocide-violence-hate-speech

5 エリース・サミュエル「ワッツアップの誤情報が引き起こしたインドの集団殺人」2020年2月21日、ワシントン・ポスト
www.washingtonpost.com/politics/2020/02/21/how-misinformation-whatsapp-led-deathly-mob-lynching-india/

6 www.witness.org/witness-deepfakes-prepare-yourself-now-report-launched/

7 コリン・フェイフ「アフリカにおけるディープフェイクの脅威とは、国家による暴力への恐怖」2019年12月9日、ウィットネスブログ
https://blog.witness.org/2019/12/africa-fear-state-violence-informs-deepfake-threat/

8 ラナ・アイユーブ『グジャラート・ファイル：裏工作の分析（原題 Gujarat Files: Anatomy of a Cover-up)』2016年、クリエイトスペース

9 www.theguardian.com/commentisfree/2012/mar/14/new-india-gujarat-massacre

10 ラナ・アイユーブ『ディープフェイク・ポルノは私を黙らせるために作られた』ハフポスト英国版ブログ
www.huffingtonpost.co.uk/entry/deepfake-porn_uk_5bf2c126e4b0f32bd58ba316

11 同上

12 同上

13 リアン・デ・バソンピエール「AFP通信が、ガボンのボンゴ大統領は脳卒中を起こしていたというムサブ副大統領の発表を伝える」2018年12月9日、ブルームバーグ・ニュース
www.bloomberg.com/news/articles/2018-12-09/gabon-s-president-bongo-had-a-stroke-afp-says-citing-moussavou

14 www.youtube.com/watch?v=F5vzKs4z1dc

15 サラ・カーラン「ガボンで誤情報がクーデター未遂事件を誘発」2020年2月13日、ワシントン・ポスト
https://www.washingtonpost.com/politics/2020/02/13/how-sick-president-suspect-video-helped-sparked-an-attempted-coup-gabon/

16 アリ・ブリランド「"ディープフェイク"動画がアフリカの国を瀬戸際に追い詰めた奇怪な事件」2019年3月15日、マザージョーンズ
www.motherjones.com/politics/2019/03/deepfake-gabon-ali-bongo/

17 サラ・カーラン「ガボンで誤情報がクーデター未遂事件を誘発」2020年2月13日、ワシントン・ポスト
https://www.washingtonpost.com/politics/2020/02/13/how-sick-president-suspect-video-helped-sparked-an-attempted-coup-gabon/

18 www.youtube.com/watch?v=F5vzKs4z1dc

19 タシュニー・スクマラン「マレーシアのアズミン・アリのセックススキャンダル：動画の相手の男だと名乗り出たハジク・アブドゥル・アジズは、大臣の側近に嘘をつくように言われたと主張」2019年6月13日、scmp（南華早報）ドットコム
https://www.scmp.com/week-asia/politics/article/3014355/malaysias-azmin-ali-sex-scandal-ministers-aide-asked-me-lie-says

20 フィリップ・ゴリンガイ「本物のアズミンか、ディープフェイクか」2019年6月15日、ザ・スター
www.thestar.com.my/opinion/columnists/one-mans-meat/2019/06/15/is-it-azmin-or-a-deepfake

第5章　犯罪の武器になる野放しのディープフェイク

1 ハリエット・ジョンストン「“傷つきやすい”ヘンリー王子は、グレタ・トゥーンベリと父親を名乗る詐欺師に電話で話したことについて“弁解はしない”と言っているが、王室の専門家によると“だまされたショック”からはまだ立ち直っていない」2020年3月17日、デイリー・メール
www.dailymail.co.uk/femail/article-8120967/Prince-Harry-stands-said-prank-phone-calls-feltviolated-royal-expert-claims.html

2 ジョナサン・シェンとルオミン・パン「タコトロン2：テキストから人間の肉声のようなスピーチを生成」2017年12月19日、グーグルAIブログ
https://ai.googleblog.com/2017/12/tacotron-2-generating-human-like-speech.html

3 https://knowyourmeme.com/memes/navy-seal-copypasta

4 www.youtube.com/watch?v=zBUDyntqcUY

5 www.youtube.com/watch?v=drirw-XvzzQ

6 www.youtube.com/watch?v=vk89hEhst88

7 マット・ノバク「この不気味な音声生成器を使うと、ジョーダン・ピーターソンに言わせたいことを何でも言わせることができる」2019年8月16日、ギズモード
https://gizmodo.com/make-jordan-peterson-sayanything-you-want-with-this-sp-1837306431

8 バレリー・ソラナス「SCUMマニフェスト」1968年初版発行
https://www.ccs.neu.edu/home/shivers/rants/scum.html

9 ジョーダン・ピーターソン「何が真実かわからなくなる前にディープフェイク・アーティストを止めなければならない」
https://nationalpost.com/opinion/jordan-peterson-deep-fake

10 同上

11 キャサリン・スタップ、「詐欺グループがAIを使ってCEOの声を模倣した異例のサイバー犯罪」2019年8月30日、ウォール・ストリート・ジャーナル
https://www.wsj.com/articles/fraudsters-use-ai-to-mimic-ceos-voice-in-unusual-cybercrime-case-11567157402

12 www.crowe.com/global/news/fraud-costs-the-global-economy-over-us$5-trillion

13 https://www.descript.com/overdub?lyrebird=true

14 https://s3.amazonaws.com/media.mediapost.com/uploads/EconomicCostOfFakeNews.pdf

15 これによって、テスラに次ぐ米国の2大自動車メーカー（フォードとGM）を合わせたよりも高い時価総額を記録した。2019年の米国内での自動車の販売台数はフォードもGMも少なくとも200万台に達しているが、テスラは36万台にとどまっている。

16 リチャード・ヘンダーソン「テスラの空売り筋、イーロン・マスクとの戦いでさらなる打撃」2020年2月3日、フィナンシャル・タイムズ
www.ft.com/content/32c9c8c4-4478-11ea-a43a-c4b328d9061c

17 同上

18 ラッセル・ハッテン「イーロン・マスクのツイートがテスラの価値を140億ドル下げる」2020年5月1日、BBCニュース
www.bbc.co.uk/news/business-52504187

19 クレイグ・シルバーマン、ジェーン・リトビネンコ、ウィリアム・クン「ニセ情報貸し出しサービス：新しいタイプの広告会社がオンラインでニセ情報を販売」2020年1月6日、バズフィード・ニュース
www.buzzfeednews.com/article/craigsilverman/disinformation-for-hire-black-pr-firms

20 www.ted.com/speakers/noelle_martin

21 サマンサ・コール「ワンクリックであらゆる女性の写真を裸にする恐ろしいアプリ」2019年6月26日、ヴァイス
www.vice.com/en_us/article/kzm59x/deepnude-app-createsfake-nudes-of-any-woman

22 ジョルジオ・パトリーニ「ディープフェイクの現状」2019年10月7日
https://medium.com/sensity/mapping-the-deepfake-landscape-27cb809e98bc

23 イアン・サンプル「インターネットは『女性と少女のためになっていない』とバーナーズ=リーが発言」2020年3月12日、ガーディアン
https://www.theguardian.com/global/2020/mar/12/internet-not-working-women-girls-tim-berners-lee

24 https://wikileaks.org/podesta-emails/press-release

25 https://dcpizzagate.wordpress.com/2016/11/07/first-blog-post/

26 https://dcpizzagate.wordpress.com/2016/11/07/first-blog-post/

27 バート・ヘルム「ピザゲート事件でつぶれかけたレストラン、なじみ客の協力で巻き返し」2017年7/8月号、インク（Inc.）
https://www.inc.com/magazine/201707/burt-helm/how-i-did-it-james-alefantis-comet-ping-pong.html

28 同上

第6章　世界を震撼させる新型コロナウイルス

1 ベロニカ・メルコゼロバとオクサナ・パラフェニュク「コロナウイルスに関するニセ情報がウクライナの小さな町で混乱を引き起こす」2020年3月3日、NBCニュース
www.nbcnews.com/news/world/how-coronavirus-disinformation-caused-chaos-small-ukrainian-town-n1146936

2 アンドリュー・グリーン「訃報：李文亮」2020年2月18日ランセット395巻10225号
https://www.thelancet.com/journals/lancet/article/PIIS0140-6736(20)30382-2/fulltext

3 「彼はコロナウイルスについて警告していた。死去する前に本紙に話した内容」2020年2月7日、ニューヨーク・タイムズ
www.nytimes.com/2020/02/07/world/asia/Li-Wenliang-china-coronavirus.html

4 「コロナウイルスに関する中国の『ニセ情報』が犠牲者を増やしたと下院議員が発言」2020年4月6日、ポリティクスホーム
www.politicshome.com/news/article/chinese-disinformation-on-coronavirus-costing-lives-say-mps

5 同上

6 www.facebook.com/XinhuaUK/posts/1594877697326136?__tn__=-R

7 「コロナウイルスに関する中国の『ニセ情報』が犠牲者を増やしたと下院議員が発言」2020年4月6日、ポリティクスホーム
www.politicshome.com/news/article/chinese-disinformation-on-coronavirus-costing-lives-say-mps

8 ジュリアン・E・バーンズ、マシュー・ローゼンバーグ、エドワード・ウォン「ウイルスが広がるとともに、中国とロシアがニセ情報の発信を開始」2020年3月28日、ニューヨーク・タイムズ
www.nytimes.com/2020/03/28/us/politics/china-russia-coronavirus-disinformation.html

9 AFP通信「『武漢に伝染病のウイルスを持ち込んだのは米軍かもしれない』と中国当局が表明」2020年3月13日、ndtvドットコム
www.ndtv.com/world-news/us-army-mayhave-brought-coronavirus-into-china-claims-official-zhao-lijian-2194096

10 オリバー・ミルマン「トランプ政権は9月にパンデミックの早期警告プログラムを廃止していた」2020年4月3日、ガーディアン
www.theguardian.com/world/2020/apr/03/trump-scrapped-pandemic-early-warning-program-system-before-coronavirus

11 ルチアナ・ボリオ、スコット・ゴットリブ「米国で感染が拡大する前にコロナウイルス対策を」2020年2月4日、ウォール・ストリート・ジャーナル
https://www.wsj.com/articles/stop-a-u-s-coronavirus-outbreak-before-it-starts-11580859525

12 ベタニア・パルマ「トランプ大統領はコロナウイルスを『デマ』だと言ったのか」2020年3月2日、スノープス
www.snopes.com/fact-check/trump-coronavirus-rally-remark/

13 https://therecount.com/watch/trump-coronavirus-calendar/2645515793

14 www.youtube.com/watch?v=33QdTOyXz3w

15 ケイト・オキーフ、マイケル・C・ベンダー、チュン・ハン・ウォン「コロナウイルスによって米中の関係が冷え込む」2020年5月6日、ウォール・ストリート・ジャーナル
www.wsj.com/articles/coronavirus-casts-deep-chill-over-u-s-china-relations-11588781420?mod=hp_lead_pos12

16 アリソン・ローク、リリー・クオ「コロナに関する論争がエスカレートする中、自分の再選を阻止するためなら中国は『何でもする』とトランプが主張」2020年4月30日、ガーディアン
https://www.theguardian.com/world/2020/apr/30/trump-claims-china-will-do-anything-to-stop-his-re-election-as-coronavirus-row-escalates

17 マーク・マゼッティ、ジュリアン・E・バーンズ、エドワード・ウォン、アダム・ゴールドマン「トランプ政権幹部、ウイルスと武漢の研究所を結びつけるよう情報機関に圧力か」2020年4月30日、ニューヨーク・タイムズ
https://www.nytimes.com/2020/04/30/us/politics/trump-administration-intelligence-coronavirus-china.html

18 アンドリュー・ロマーノ「ヤフーニュースとユーゴブの新たな世論調査で、右派に広がるコロナウイルスに関する陰謀論が、ワクチン接種の妨げとなる可能性が示される」2020年5月22日、ヤフーニュース
https://news.yahoo.com/new-yahoo-news-you-gov-poll-shows-coronavirus-conspiracy-theories-spreading-on-the-right-may-hamper-vaccine-efforts-152843610.html

19「新型コロナウイルス感染症：陰謀論の心理学」イアン・サンプルによるガーディアン・ポッドキャスト
https://www.theguardian.com/science/audio/2020/may/05/covid-19-the-psychology-of-conspiracy-theories

20 アンドリュー・ロマーノ「ヤフーニュースとユーゴブの新たな世論調査で、右派に広がるコロナウイルスに関する陰謀論が、ワクチン接種の妨げとなる可能性が示される」注18を参照。

21 反ワクチン団体は国外の敵の標的になりやすい。ロシアは実際、アフリカ系米国人を利用するように反ワクチン派を利用している。

22 パトリック・クラーク「ツイッター炎上後、M.I.A.はワクチンに関する立場を釈明」2020年4月3日、NME
www.nme.com/news/music/m-i-a-clears-up-stancevaccinations-following-twitter-backlash-2640812

23 ロイター「反ワクチン派のノバク・ジョコビッチはテニス界に戻らないかもしれない」2020年4月20日、ガーディアン
www.theguardian.com/sport/2020/apr/19/novak-djokovic-coronavirus-covid-19-vaccination-tennis

24 ジェームズ・テンパートン「コロナウイルスの5G陰謀論が現実の犯罪に発展」2020年5月7日、ワイアード
www.wired.co.uk/article/5g-coronavirus-conspiracy-theory-attacks

25「XRベルギー支部は、ベルギーの首相が新型コロナウイルスは気候変動と関係があると演説しているディープフェイクを投稿」2020年4月14日、ブリュッセル・タイムズ
www.brusselstimes.com/all-news/belgiumall-news/politics/106320/xr-belgium-posts-deepfake-of-belgian-premier-linking-covid-19-with-climate-crisis/

26 www.facebook.com/watch/ExtinctionRebellionBE/

27 ギデオン・ラックマン「ジャイール・ボルソナロのポピュリズムがブラジルを破滅に導いている」2020年5月25日、フィナンシャル・タイムズ
www.ft.com/content/c39fadfe-9e60-11ea-b65d-489c67b0d85d

28 https://mrc-ide.github.io/covid19-short-term-forecasts/index.html

29「社説：ブラジルの新型コロナウイルス『だからどうした？』」ランセット395巻10235号（2020年5月9日）
www.thelancet.com/journals/lancet/article/PIIS0140-6736(20)31095-3/fulltext

30 アレグザンダー・ボーノフ「コロナウイルス危機の中、ロシアの独裁者はどこへ？」2020年5月27日、フォーリン・アフェアーズ
https://www.foreignaffairs.com/articles/russian-federation/2020-05-27/where-russias-strongman-coronavirus-crisis

31 https://www.interpol.int/en/News-and-Events/News/2020/Global-operation-sees-a-rise-in-fake-medical-products-related-to-COVID-19

第7章　まだ、希望はある

1 www.bellingcat.com

2 https://www.newsguardtech.com/

3 https://www.newsguardtech.com/misinformation-monitor/

4 ファースト・ドラフト・ニュース「ソーシャルウェブにおけるニュースの取材とモニタリングのためのファースト・ドラフト・エッセンシャルガイド」（2019年10月）
https://firstdraftnews.org/wp-content/uploads/2019/10/Newsgathering_and_Monitoring_Digital_AW3.pdf?x14487

5 https://firstdraftnews.org/latest/partnership-on-ai-first-draft-begin-investigating-labels-for-manipulated-media/

6 https://reutersinstitute.politics.ox.ac.uk/about-reuters-institute

7 https://reporterslab.org/

8 https://www.niemanlab.org/

9 https://faculty.ai/ourwork/identifying-online-daesh-propaganda-with-ai/

10 https://faculty.ai/ourwork/identifying-online-daesh-propaganda-with-ai/

11 www.darpa.mil/program/media-forensics

12 www.kaggle.com/c/deepfake-detection-challenge/overview/description

13 https://jigsaw.google.com/issues/

14 www.newsprovenanceproject.com/about-npp

15 ハナ・タミーズ「ブロックチェーンの仕組みによってタイムラインのフェイク写真を発見する方法をニューヨーク・タイムズが検証」2020年1月22日、ニーマン・ラボ
https://www.niemanlab.org/2020/01/heres-how-the-new-york-times-tested-blockchain-to-help-you-identify-faked-photos-on-your-timeline/

16 デビッド・スミス「トランプがソーシャルメディア・プラットフォームの法的保護を制限する執行命令に署名」2020年5月29日、ガーディアン
https://www.theguardian.com/us-news/2020/may/28/donald-trump-social-media-executive-order-twitter

17 チャールズ・ドゥアン、ジェフリー・ウェストリング「トランプの執行命令はオンライン上の言論を害するか？　害はすでに及んでいる」2020年6月1日、ローフェア
www.lawfareblog.com/will-trumps-executive-order-harm-online-speech-it-already-did

18 ロン・ミラー「IBMがオープンソースのハイパーレジャー・ファブリック技術を使ったブロックチェーン・サービスを発表」2017年3月20日、テッククランチ・ドットコム
https://techcrunch.com/2017/03/19/ibm-unveils-blockchain-as-a-service-based-on-open-source-hyperledger-fabric-technology/

19 キャスリン・ハリソン「ディープフェイクとディープ・トラスト・アライアンス」2019年11月5日、ウィメン・イン・アイデンティティ
womeninidentity.org/2019/11/05/kathryn-harrison-deepfakes-deep-trust-alliance/

20 リーギコグ（エストニアの議会）が承認した「エストニアの国家安全保障の概念」2010年5月12日（非公式の英訳）
www.eda.europa.eu/docs/default-source/documents/estonia---national-security-concept-of-estonia-2010.pdf

謝辞

本書に記したのは、私が何年も前から考えてきた事柄だが、依頼を受けてから書き上げるまではごく短期間だった。出版者のジェイク・リングウッドから、ディープフェイクに関する書籍の執筆依頼があったのは、2020年1月のことだ。ジェイクと、記録的な速さでの出版にこぎつけることに協力してくれたアレックス・ステッターをはじめとするオクトパスのチームのメンバーに深く感謝している。また、一年以上にわたり本書の構想を私と共に練り上げてくれた、私の代理人であるノースバンク・タレントのマーティン・レッドファーンにも感謝を捧げたい。そして、本書の執筆を決めてから、直前にお願いしたにもかかわらず、私のインタビューを快く引き受け、貴重な時間を割いて知恵を貸してくださった専門家の皆様にもお礼を申し上げたい。本書でご紹介した多くの方だけでなく、お名前を載せることのできなかった方々にも、たくさんの話を聞かせていただき、私の見解をまとめ上げる力になっていただいたことに、心より感謝している。

最後に、本書を執筆した2020年の春と初夏は、新型コロナウイルス感染症によるロックダウン期間中だったため、「ホームチーム」の協力なくしては完成しなかったことを申し上げたい。アグネスは本当にしっかりと私のベビーの世話をサポートしてくれた。そして誰よりも私を支えてくれたのは、パートナーのジェームズだ。私が必死に執筆を続けていた数カ月間、家を守ってくれただけでなく、私が考えをまとめるのにも欠かせない存在だった。才気あふれる彼のおかげで、本書の内容をより良いものにすることができた。

ニーナ・シック
2020年6月

ディープフェイク　ニセ情報の拡散者たち

2021年9月21日　第1版1刷

著者	ニーナ・シック
訳者	片山美佳子
装丁	田中久子
装画	Q-TA
編集	尾崎憲和
制作	朝日メディアインターナショナル
発行者	滝山晋
発行	日経ナショナル ジオグラフィック社
	〒105-8308　東京都港区虎ノ門4-3-12
発売	日経BPマーケティング
印刷・製本	日経印刷

ISBN978-4-86313-513-0　Printed in Japan

乱丁・落丁本のお取替えは、こちらまでご連絡ください。
https://nkbp.jp/ngbook

Deep Fakes and the Infocalypse by Nina Schick